D0990188

COSTURA

Las autoras

Rabea Rauer e Yvonne Reidelbach
(www.kinkibox.de)

¿Qué significa...

... el grado de dificultad? Cada modelo tiene asignado un grado de dificultad, simbolizado por un pequeño dedal. Un dedal significa «fácil»; son modelos relativamente rápidos de hacer aptos para principiantes. Los modelos marcados con dos dedales son de dificultad media. Para los modelos marcados con tres dedades necesitará algo más de práctica y paciencia, pues son más laboriosos.

... el grado de ampliación? Algunos de los patrones de este libro se muestran a tamaño reducido. Por favor, amplíe el patrón al porcentaje indicado.

... esta flecha → sobre el patrón? Esta flecha sobre cada patrón indica la dirección del hilo en el tejido.

Fotografías e ilustraciones

Ullrich Alber: págs. 27 ar., 37 ab., 57 ab., 65-112
Jochen Arndt, Berlin: págs. 12/13, 16/17, 20-61
Hendrik Kranenberg: págs. 10, 19
Gütermann creativ: págs. 4 ab. izq., 15 (hilos de coser)
Fotolia.com: © Africa Studio (pág. 1); © LeitnerR (telas, págs. 8/9 y 62/63); © Andreja Donko (pág. 8), © ES75 (pág. 9 ar.), © Uwe Rieder (pág. 9 ab.), © wooster (dedal)

COSTURA

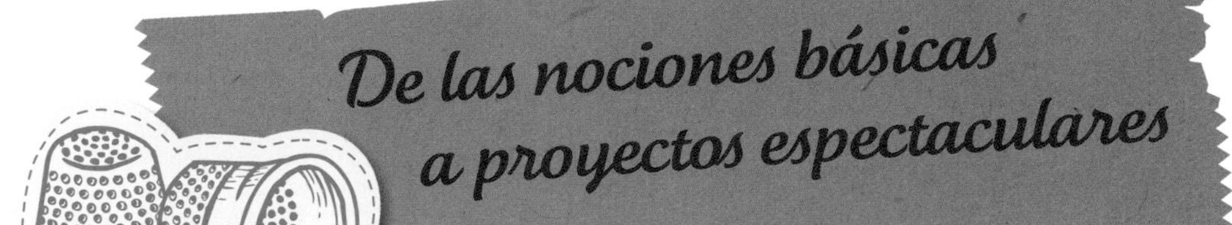

Índice

Nociones básicas y técnicas

Bonitos proyectos para todos los gustos

Adéntrese en el placer de coser

Hoy en día se aprecia más que nunca el arte de la costura, porque despierta las ganas de experimentar y nos deja con la agradable sensación de realizar una pieza única e inconfundible. ¿Le apetece desempolvar su máquina de coser y redescubrir el placer de la costura?

Las nociones y las técnicas de la primera parte del libro son el punto de partida para todo aquel que quiera iniciarse o que precise refrescar sus conocimientos. Allí encontrará las técnicas más importantes explicadas de forma sencilla y acompañadas de ilustraciones y valiosos consejos.

Los proyectos de la segunda parte del libro despertarán sus ganas de experimentar. Ya sean modernos y de líneas definidas como con un aire romántico, los originales modelos de este libro le mostrarán cómo hacer artículos tanto para embellecer su casa y su atuendo como para regalar a los más pequeños o a los bebés de sus amigos.

No siempre es necesario comprar nuevas telas y materiales; también le mostramos cómo confeccionar bonitas piezas a partir de ropa vieja. Estas ideas de reciclaje vienen marcadas con un sello de color, ¡porque está de moda confeccionar nuevos artículos a partir de telas viejas!

Permita que nuestros modelos despierten su creatividad y prepárese a pasar un buen rato con la aguja, el hilo y la máquina de coser.

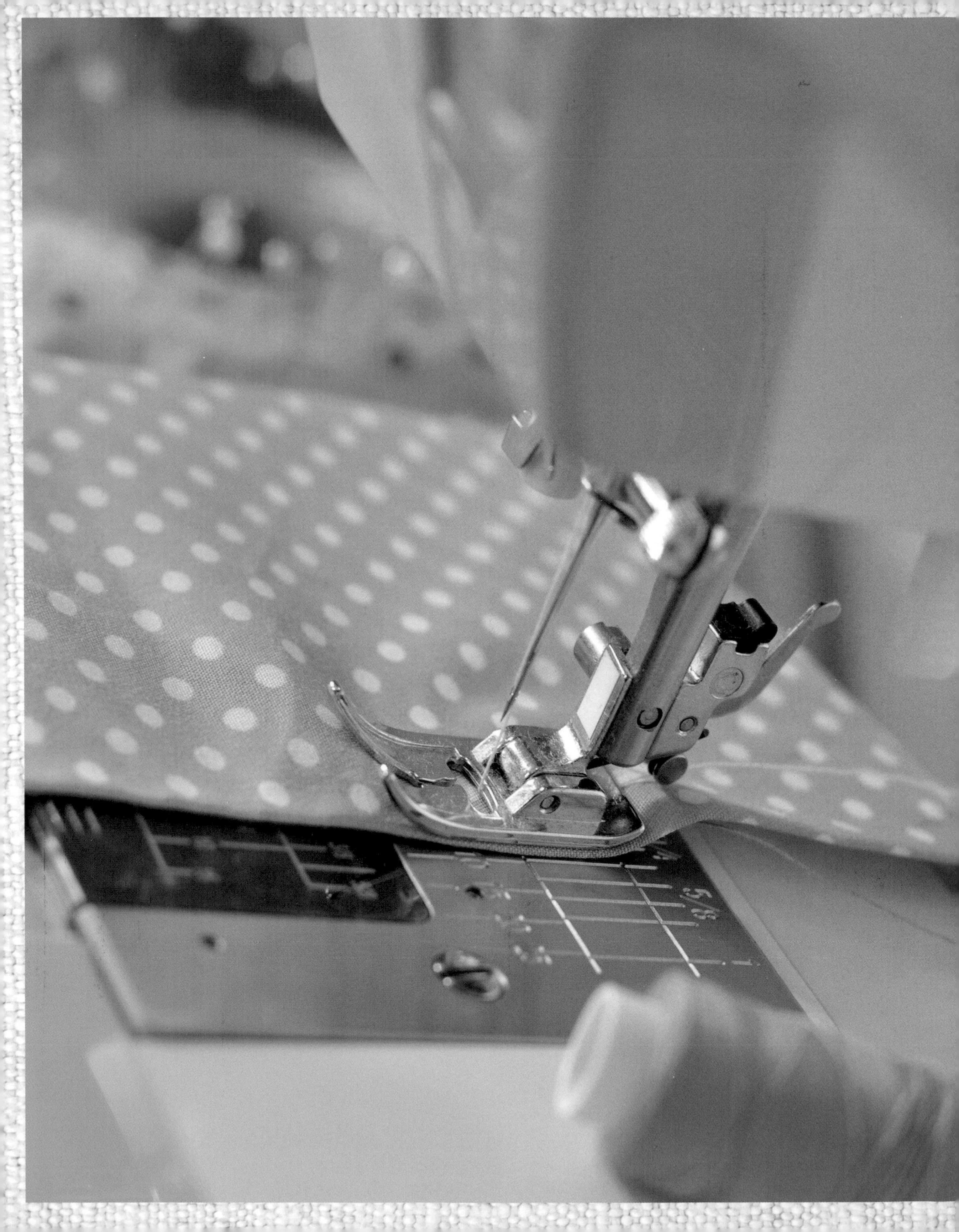

Nociones básicas y técnicas

La máquina de coser

La primera máquina de coser se inventó a finales del siglo XVIII y supuso una gran revolución. Por fortuna, las máquinas modernas no tienen nada que ver con las de aquella época. Hoy coser a máquina es un auténtico placer.

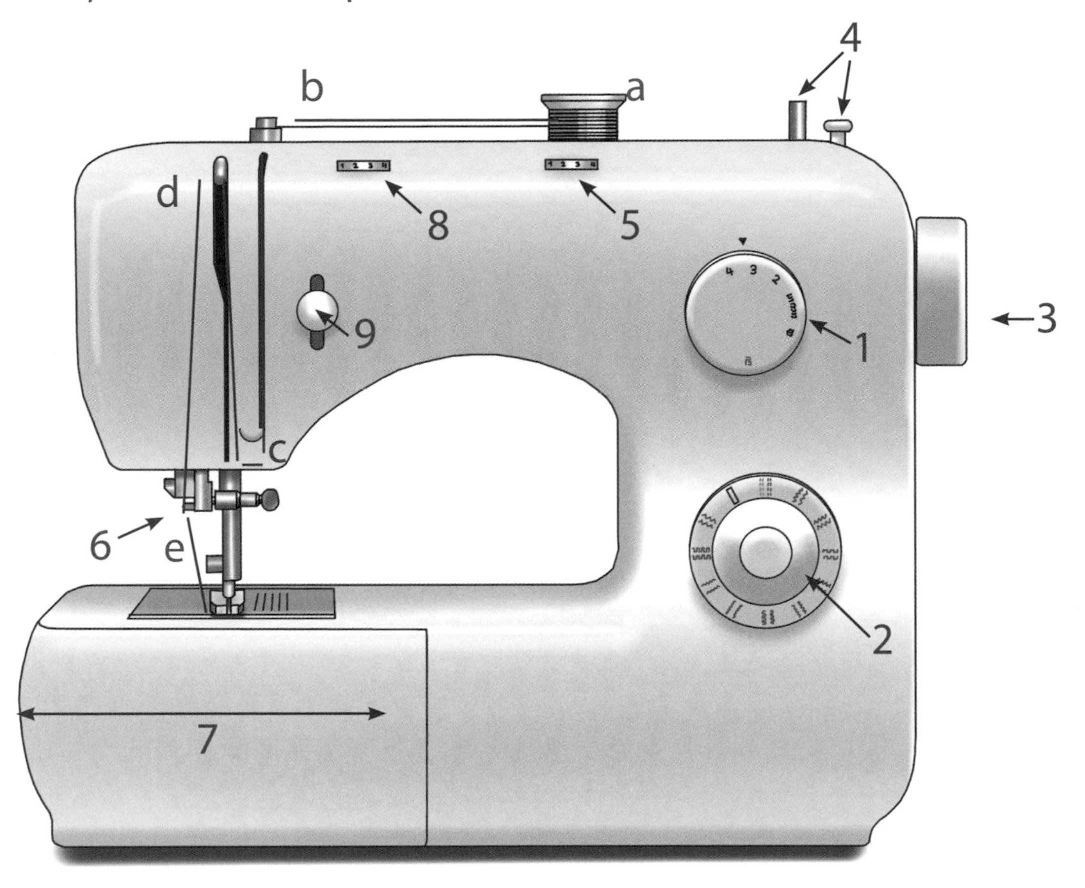

En la actualidad, las máquinas de coser más comunes son una combinación de máquina de brazo libre y máquina de zócalo. Vienen en una maleta y requieren una mesa donde colocarse relativamente baja, puesto que la superficie de trabajo se eleva gracias al zócalo. El brazo libre de la máquina permite coser en zonas de difícil acceso, tales como perneras y mangas. Algo menos comunes son los modelos de máquinas de coser planas, que se presentan totalmente integradas en una mesa o gabinete.

Las máquinas de coser funcionan con motores eléctricos que se accionan a través de un pedal, a través del cual se regula asimismo la velocidad.

Si está pensando comprar una máquina de coser, asegúrese de que el modelo elegido ofrezca diversos tipos de puntada, como puntada recta, zigzag, vainica, para sobreorillar, diferentes puntadas elásticas, algunas puntadas decorativas y ojalador automático. Si su máquina cumple estos requisitos, podrá empezar a coser sin limitaciones.

Elementos de mando y su función

1 Con el selector de largo de puntada se puede elegir la longitud de la puntada de 0 a 5 mm.

2 Con el selector de puntadas se escoge el diseño de la puntada.

3 El volante, girándolo, permite posicionar la aguja con precisión y hacer puntadas individuales.

4 Aquí se devana la canilla con el hilo deseado.

5 Aquí se puede ajustar el ancho de puntada, por ejemplo, en el zigzag.

6 El enhebrador automático permite enhebrar la aguja fácilmente.

7 La mesa supletoria contiene el estuche de accesorios y, en la parte posterior, se coloca la canilla.

8 Regulador de tensión de hilo.

9 Palanca de retroceso. Al presionarla, la máquina cose el punto al revés para rematar la costura al inicio y al final evitando que se descosa.

Enhebrar el hilo superior

a Colocar el carrete de hilo en el pasador portacarretes.

b Pasar el hilo, de atrás hacia delante, por la guía del hilo.

c Tirar del hilo hacia abajo y pasarlo alrededor del alojamiento del tensor del hilo de derecha a izquierda.

d A continuación, pasar el hilo por encima de la palanca guiahilos de derecha a izquierda.

e Pasar el hilo por el ojo de la aguja con ayuda del enhebrador.

Para devanar la canilla, colóquela en el eje del devanador de canillas. Tire del hilo del carrete, enróllelo en la canilla dándole varias vueltas, y empuje el freno del devanador hacia la izquierda en dirección a la canilla. Ahora pise el pedal y el hilo se enrollará en la canilla automáticamente. Coloque la canilla en el portacanillas e insértelo en el cajón de la parte trasera de la mesa supletoria.

Hilo superior e hilo inferior

Es muy importante ajustar la tensión del hilo superior y del hilo inferior para que la costura quede perfecta. Cuando la tensión de ambos hilos es la adecuada, el enlace de uno y otro en cada puntada queda centrado entre las capas de tela.

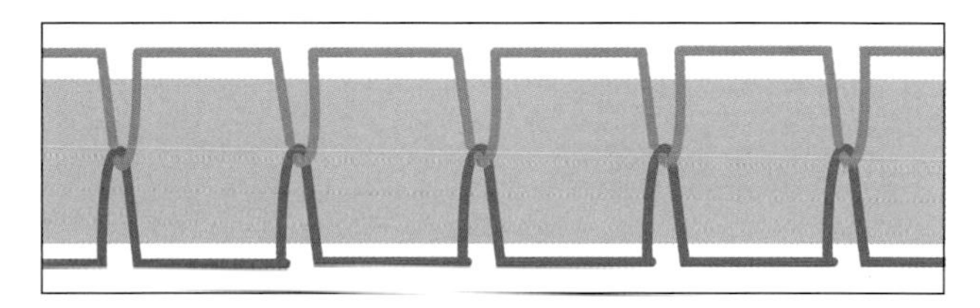

Si la tensión del hilo superior es excesiva, este quedará recto en la parte de arriba de la costura y el enlace de los hilos, en la parte superior de la tela.

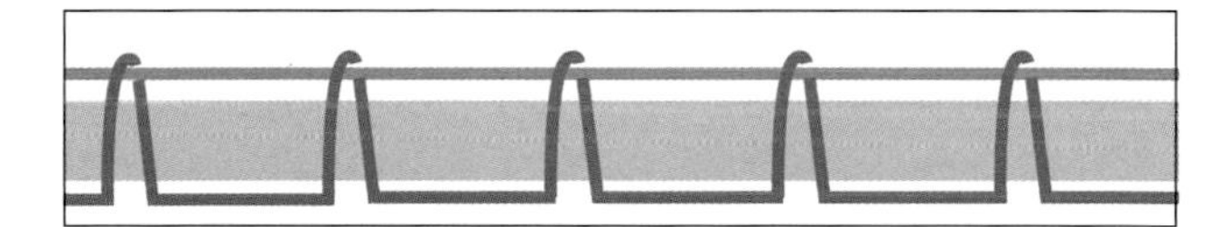

Si la tensión del hilo superior es insuficiente, el hilo inferior quedará recto en la parte inferior de la tela. El enlace entre los dos hilos aparecerá en la capa inferior de la tela.

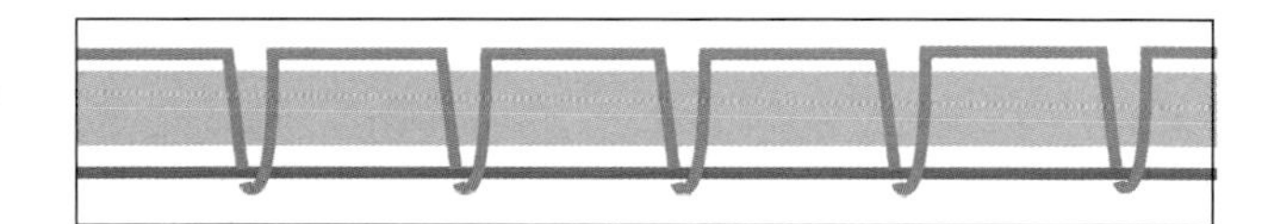

Accesorios

Una máquina de coser suele venir con diferentes prensatelas como equipamiento básico. Pero existen muchos otros que facilitan determinadas técnicas de costura o bien que ofrecen numerosas posibilidades creativas.

Equipo básico

Muchos accesorios vienen ya con la máquina de coser, ya que han sido diseñados específicamente para ella y se requieren una y otra vez, incluso en las tareas de mantenimiento.

Por ejemplo, con un destornillador pequeño podrá regular la tensión del portacanillas y con un pincel de pelo sintético podrá eliminar las pelusas de la máquina. Para su mantenimiento algunos modelos requieren aceite, que se presenta en un pequeño frasco. Y en el estuche de accesorios hay agujas de repuesto para la máquina de coser, así como algunos canilleros vacíos.

Prensatelas

1 Prensatelas para cremallera invisible

Con este prensatelas es posible coser a la perfección cremalleras que «se esconden» en la costura. El prensatelas abre la cremallera con sus ranuras y, de este modo, la costura queda en el lugar perfecto de la cinta de la cremallera.

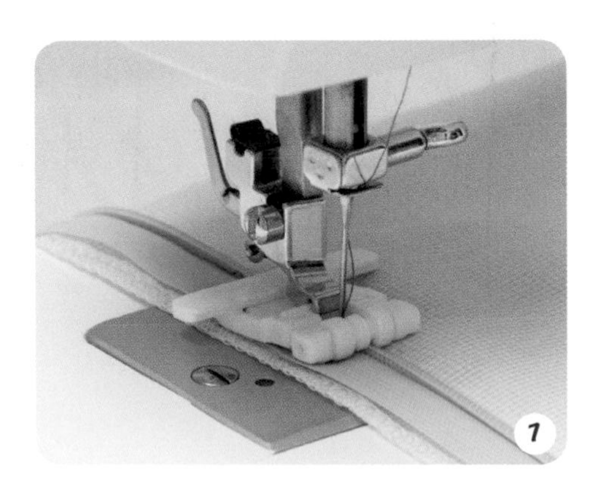

Este tipo de prensatelas está disponible como prensatelas universal para muchas máquinas de coser diferentes.

2 Prensatelas de zurcido y bordado

Al zurcir y al bordar se baja el transportador. Como en estos casos el largo de puntada no está determinado, es usted quien, moviendo la tela libremente y controlando la velocidad, definirá el ancho y el espesor de las puntadas. Con el prensatelas abierto puede ver la tela que hay debajo del mismo sin dificultad, y le resultará de gran utilidad si desea zurcir un agujero en un pantalón o si prefiere cerrar el agujero con un diseño bordado.

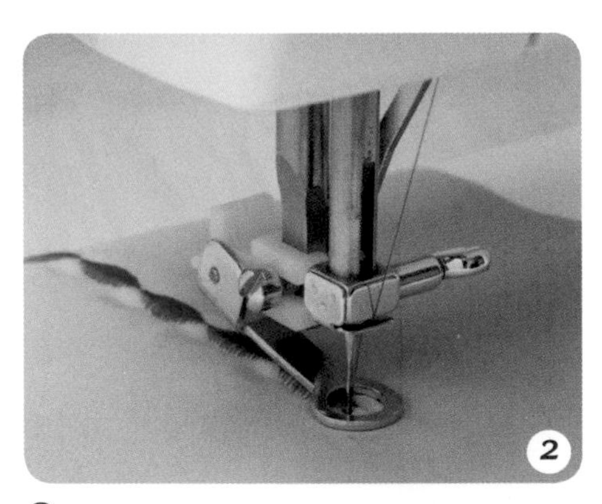

3 Prensatelas para sobreorillar

Este prensatelas es idóneo para sobrehilar y como complemento para las diferentes puntadas para sobreorillar. Un canto de guía impide que el borde de la tela se enrolle o se frunza al coserlo. El hilo se coloca sobre la guía y la costura de sobrehilado queda plana y uniforme.

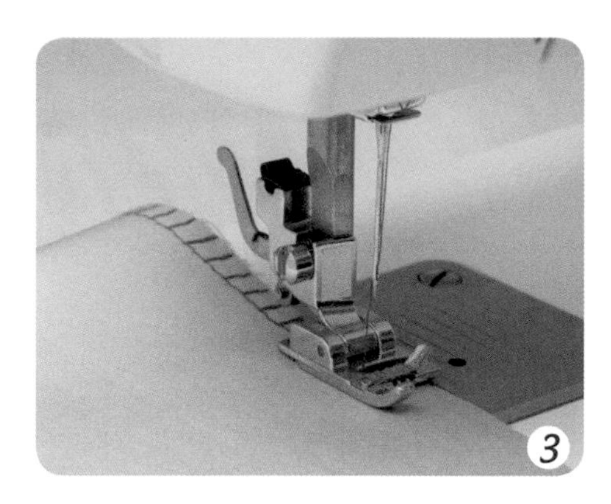

3

4 Prensatelas para puntadas decorativas

Estas puntadas se hacen de forma tupida y requieren más espacio bajo el prensatelas para que la costura no se frene. Por ello, este tiene una hendidura en la parte inferior, para que costuras y puntadas sean uniformes.

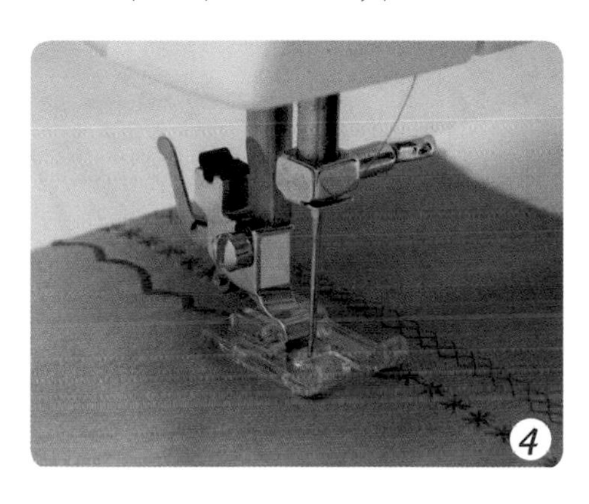

4

5 Prensatelas para cordoncillo

Al pasar el cordoncillo sintético o de algodón por el prensatelas, este será arrastrado automáticamente por curvas, arcos y esquinas. Pasando un pespunte tupido en zigzag, se le dará a la costura decorativa un original efecto plástico.

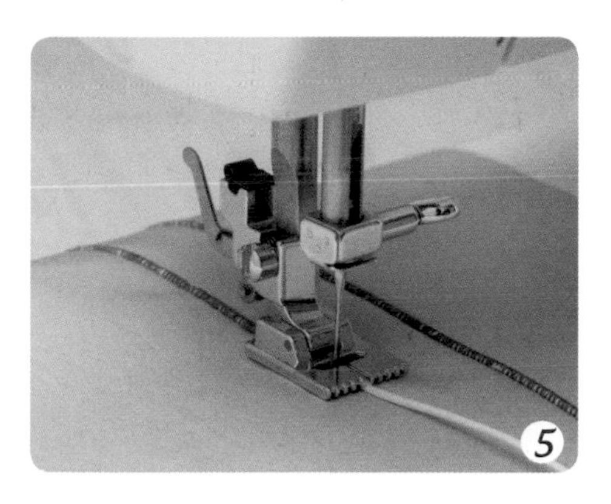

5

6 Prensatelas para fruncir

Con este tipo de prensatelas se realizan frunces y volantes de una sola pasada. La capa inferior de tela queda plana al coser. En función de la intensidad con que se gire la capa de tela superior, la tela se fruncirá más o menos.

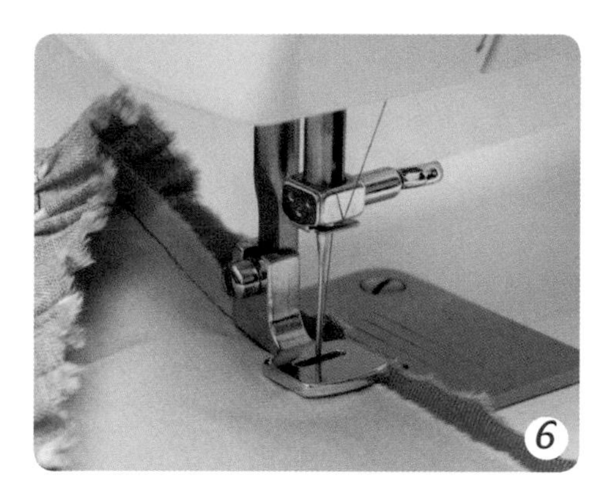

6

7 Prensatelas para acolchado y patchwork

La anchura de este prensatelas permite respetar con exactitud el aumento del margen de costura de 6 mm típico del patchwork (el prensatelas universal mide 5 mm de ancho). De este modo, las telas quedan superpuestas en las esquinas sin la molestia de tener que dibujar la anchura de la costura.

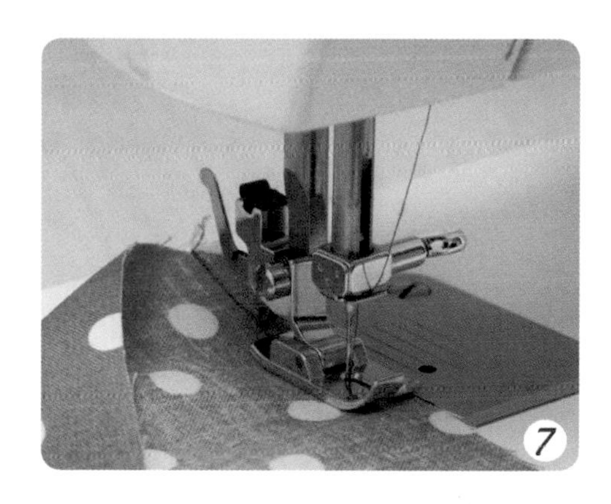

7

Herramientas

Un equipo básico de accesorios es imprescindible a la hora de ponerse a coser. Para tenerlo todo a mano, es recomendable utilizar un costurero o una caja de herramientas de plástico donde poder guardar de forma ordenada todos los utensilios.

Tijera

La tijera es un utensilio imprescindible, ya sea para cortar patrones de papel o telas. En todos los hogares hay una tijera de oficina que podremos utilizar para cortar los patrones de papel.

Sin embargo, la tijera de sastre (1) es especial: la hoja inferior está diseñada de manera que repose plana sobre la superficie de trabajo. De esta forma, la tela queda lisa y la tijera se desliza suavemente sobre la superficie de trabajo.

La tijera de sastre debe usarse únicamente para cortar tejidos. Si se utiliza para cortar papel o cartón, nunca más podrá utilizarse para cortar telas ya que entonces estas se deshilacharán.

Una tijera dentada (2), diseñada para cortar tejidos gruesos en zigzag sin necesidad de sobrehilado, puede resultar útil pero no es imprescindible al principio de iniciarse en estas labores.

Para cortar los hilos al coser resulta muy práctica una tijera pequeña, como una tijera de bordar (3), ya que la tijera de sastre resulta demasiado pesada y además es difícil de manejar.

También un cortahílos (4) puede resultar muy práctico para recortar o abrir el margen de costura.

Agujas y alfileres

Aun disponiendo de una máquina de coser, algunas costuras, como dobladillos o hilvanados, se deben realizar a mano. Para ello es importante tener un juego de agujas de diferentes longitudes y grosores. En general, cuanto más fina sea la tela, más fina deberá ser la aguja, y cuanto más larga sea la puntada, más larga deberá ser también la aguja.

Los alfileres también son, sin lugar a dudas, indispensables. Los hay con cabeza de perla o cabeza plana y de diferentes tamaños. Usted decidirá según su preferencia personal los que prefiere utilizar. Los más largos son muy útiles para trabajos de costura con telas especialmente gruesas y blandas.

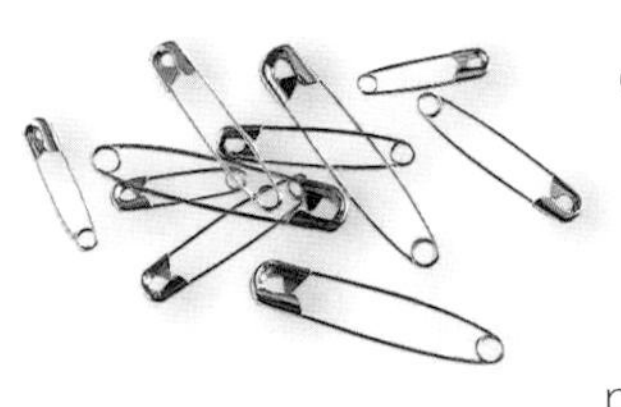

Los imperdibles también son muy prácticos.

Agujas para máquina

Tenga siempre disponible un juego de agujas universales para máquina de coser en diferentes grosores. No hay nada más molesto que tener que interrumpir la labor de costura por la noche o durante el fin de semana porque la aguja se ha roto y no se tiene una de repuesto. Existen agujas especiales para los diferentes tipos de tejido, y es muy recomendable que las adquiera. Las agujas para tejidos de punto tienen la punta redondeada para no dañar el tejido. Las agujas para tejido vaquero son especialmente resistentes, y no se rompen aunque la tela sea gruesa o atraviesen varias capas. Las agujas dobles son útiles para pespuntear tejidos elásticos, y las agujas para cuero están afiladas de modo que solo dejen un pequeño agujero en el tejido.

Hilos

En función del uso que se le vaya a dar, se puede escoger entre hilo de algodón, lana o de fibras sintéticas. Estos últimos sirven para cualquier tipo de tejido. Desde hace poco tiempo existe también hilo reciclado, que tiene las mismas características que el hilo de fibra sintética. Estos hilos no se encojen al lavarlos y se adaptan a cualquier tipo de material.

Cinta métrica

Una cinta métrica es indispensable para tomar medidas. Debe ser flexible, pero en ningún caso elástica. Para tomar medidas de la cintura y las caderas se comercializa una cinta métrica especial, que lleva un pasador en el que se engarza el gancho del extremo de la cinta. En el orificio del pasador puede leerse la medida exacta. Para medir dobladillos y ojales es preferible utilizar una regla pequeña.

Jaboncillos

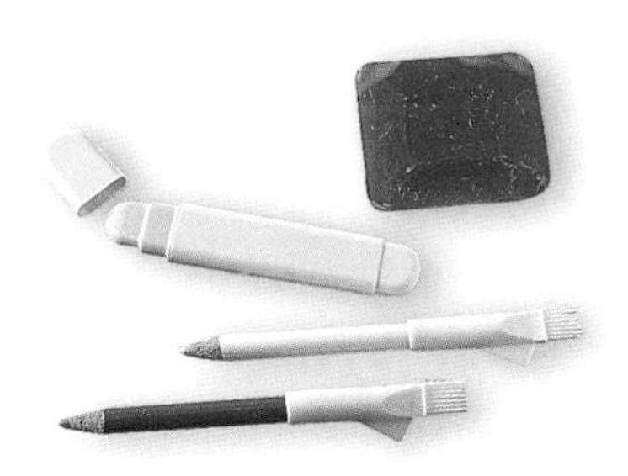

Para marcar utilice tiza en barritas afiladas o jaboncillos de sastre. Debe marcar la tela por el revés, es decir, por el lado que no se va a ver. Si no va a lavar la prenda antes de utilizarla, puede utilizar también un «marcador mágico», que desaparece del tejido por sí solo al poco tiempo de aplicarse.

Papel manila y papel de seda

Si desea sacar un patrón de una hoja de patrones (es decir, copiarlo y pasarlo a papel), necesitará papel de calco para costura. Viene en pliegos grandes y calca por uno de los lados. Para el patrón en papel necesitará papel de seda blanco, que se puede adquirir en las mercerías.

Piquetero

Un piquetero es una rueda dentada que se utiliza para marcar en la tela el contorno del patrón, la línea de las costuras o, por ejemplo, unas pinzas. Aplicando una ligera presión, se pasa el piquetero sobre las líneas que se desean marcar y, de este modo, se transfieren a la tela a través del papel de calco que hay debajo. En este utensilio se puede adaptar una segunda rueda paralela a la primera, lo que permite marcar en una misma pasada el margen de costura.

El lugar de trabajo

El sueño de cualquier aficionado a la costura es disponer de un lugar fijo para coser que esté bien equipado. No obstante, realizando unas simples modificaciones, la mesa de la cocina o del despacho puede convertirse rápidamente en una mesa de costura o de corte.

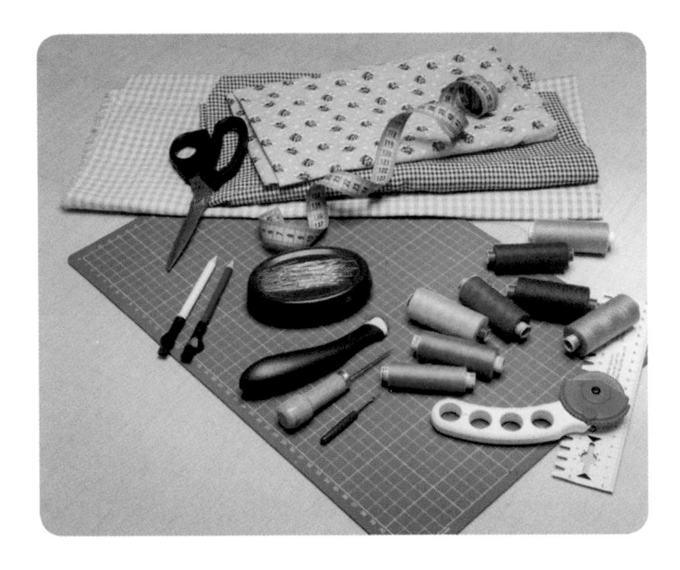

La mesa de corte y costura

Lo ideal es tener una mesa donde esté colocada la máquina de coser y otra de corte, más grande, que mida unos 80 cm de ancho. En esta segunda mesa puede copiar los patrones y, además, extender sin dificultad telas de 140 cm, que siempre vienen dobladas en dos. Si no dispone de una mesa de estas dimensiones, puede realizar el corte de la tela en el suelo. Esto requiere cierta condición física, pero le permitirá extender la tela sin ningún tipo de limitaciones.

Coloque la tabla de planchar justo al lado de la máquina de coser; así podrá planchar cada costura inmediatamente. Para tener siempre a mano las telas, patrones y revistas de costura, así como los accesorios necesarios, le recomendamos que lo guarde todo en un armario lo más cercano posible al lugar de trabajo. Si puede dedicar un espacio de la casa para su afición, estupendo; de lo contrario, improvise con la mesa de la cocina, del comedor o del despacho. Y seguro que en algún armario o estantería podrá hacer sitio para guardar la máquina y el resto de utensilios de costura.

La plancha

Las modistas y los sastres saben que planchar bien las piezas facilita mucho la costura. Es una de las reglas básicas y debe respetarse siempre. Un borde planchado suele sustituir a una marca, y los márgenes de costura planchados de antemano le guiarán con los ojos cerrados. Uno de los pasos más importantes a la hora de coser es planchar después de cada costura, puesto que así esta se une con la tela. Solo entonces se deben planchar los márgenes de costura abiertos o hacia un lado.

Siga las instrucciones a rajatabla a la hora de planchar. Planche siempre las piezas antes de dar el siguiente paso; por ejemplo, planche las pinzas antes de coser las costuras, y estas antes de unir el dobladillo. Puede que se trate de unos pocos milímetros de error, pero estos serán cruciales para el aspecto final de la prenda.

Antes de cortar la tela, plánchela a la mayor temperatura que permita y, si es posible, con vapor. Esto sustituye la primera lavada e impide que la prenda se encoja después de lavarla por primera vez. Utilice un paño de algodón húmedo entre la tela y la plancha si esta no tiene vapor. Haga una prueba en un resto de tela para ver la reacción del tejido a la temperatura y al vapor.

Forros y entretelas

A las chaquetas, abrigos y vestidos se les ponen forros para hacerlos más resistentes y así prolongar su vida, pero también para que se adapten bien al cuerpo y sienten mejor. Por su parte, las entretelas influyen en el aspecto de la prenda, por lo que solo deben utilizarse cuando sea necesario.

Forros

No ahorre en los forros, elija un material de calidad que, sobre todo, no produzca electricidad estática. Las telas de forro de buena calidad son de viscosa o de mezcla de viscosa y fibras sintéticas; las prendas de ropa de alta costura se forran a veces con seda. Un aspecto a considerar en los abrigos es que el forro no se debe «pegar» al pantalón o a la falda al caminar.

Si el tejido exterior es ligero o de peso medio, se recomienda utilizar un tafetán para forro ligero y suave. Si el tejido del abrigo es grueso o pesado, se puede utilizar un satén para forro más grueso y pesado. Con un forro acolchado de guata se puede confeccionar un abrigo o una chaqueta de invierno, pero tenga en cuenta que el corte de la prenda debe ser más amplio, o bien elija el patrón que desee en una talla superior.

Utilice un forro de diferente color o estampado para darle a su chaqueta o abrigo un toque moderno o llamativo. Si desea que la prenda sea discreta y elegante, utilice un forro del mismo color que la tela exterior o en un tono algo más claro o más oscuro.

Puede hallar patrones específicos para el corte de las piezas del forro acolchado, o tal vez encuentre una indicación de qué piezas del patrón se deben cortar adicionalmente para el forro.

Entretelas

En muchas instrucciones de costura encontrará la indicación «reforzar con entretela». En ningún caso debe ignorarla, puesto que la entretela garantiza la forma e incluso la caída fluida de una prenda de vestir.

Además, las entretelas con plantilla imprimida facilitan el corte y la costura. Lo importante es escoger la entretela en función de su finalidad y de acuerdo con el tejido que va a utilizar. Las entretelas vienen en una gran variedad de formas y grosores. Coloque la entretela en el revés de la tela y adhiérala con la plancha.

En general, las entretelas deben reforzar el tejido de la forma más disimulada posible y acentuar la caída de la prenda de vestir sin denotar rigidez. En la información de los patrones sobre los materiales encontrará indicaciones precisas.

Si decide usar otro tipo de tela que el indicado, en los comercios e internet encontrará tablas con las entretelas adecuadas para cada tejido. También hallará indicaciones sobre campos de aplicación e instrucciones de planchado.

Tomar medidas

Las medidas del cuerpo deben coincidir con las del patrón, pues no hay nada más frustrante que confeccionar una prenda que después no le quedará bien porque se ha escogido la talla equivocada. Compare siempre sus medidas con las del patrón y todo irá bien.

Antes de tomar medidas

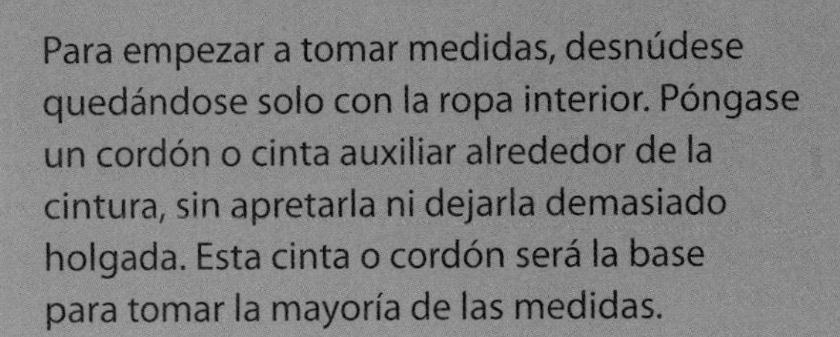

Para empezar a tomar medidas, desnúdese quedándose solo con la ropa interior. Póngase un cordón o cinta auxiliar alrededor de la cintura, sin apretarla ni dejarla demasiado holgada. Esta cinta o cordón será la base para tomar la mayoría de las medidas.

Utilice una cintra métrica flexible de entre 150 y 200 cm de longitud. Para medir el ancho de la cintura o las caderas se venden cintas métricas especiales. Es preferible que otra persona le tome las medidas. En el caso de que hiciera trampas, solo ayudaría a su ego temporalmente, ya que la prenda de ropa terminada acabará desengañándole de todas todas.

Además, algunas medidas son difíciles de tomar por uno mismo, como las de las mangas o las de las perneras. A continuación, coloque la cinta métrica como le indicamos para cada caso en particular y anote las medidas correspondientes.

1 **Contorno de pecho**
Alrededor de la espalda, por lo más alto del pecho.

2 **Contorno de cintura**
En el talle, encima de la cinta auxiliar (*véase* el recuadro de esta página) y con el vientre relajado.

3 **Contorno de cadera**
Sobre la zona más prominente del trasero.

4 **Altura de pecho**
Desde el punto más alto del hombro hasta la punta del pecho.

5 **Largo de talle delantero**
Desde el punto más alto del hombro, pasando por la punta del pecho, hasta la cintura.

6 **Largo de espalda**
Desde la vértebra cervical inferior algo saliente hasta la cintura (cinta auxiliar).

7 **Ancho de hombro**
Desde el nacimiento del cuello hasta el extremo exterior del hombro.

8 **Largo de manga**
Desde el extremo exterior del hombro hasta la muñeca, llevando la cinta métrica por la parte exterior del codo, ligeramente flexionado.

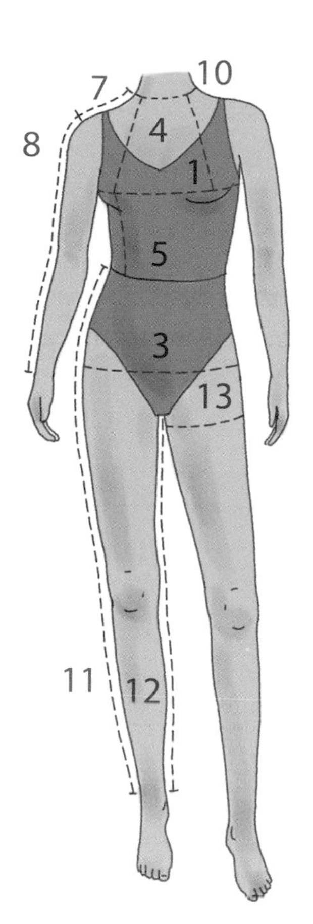

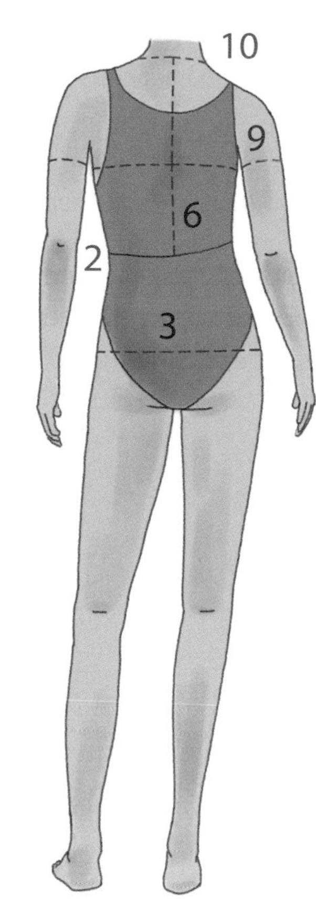

14 Altura lumbar

Desde la cinta auxiliar de la cintura hasta el asiento, en posición sentada y con la espalda recta.

Ahora, teniendo en cuenta la tabla de medidas del patrón, escoja su talla. En caso de que tenga un patrón o un cuaderno de patrones, compare sus medidas con las de la tabla. Pero no se sorprenda: la mayoría de las veces las medidas no coincidirán exactamente con las medidas ideales de las tallas de confección. En el caso de patrones para vestidos, chaquetas y blusas, oriéntese tomando como referencia el contorno de pecho; si se trata de patrones para faldas y pantalones, el contorno de cadera.

Dado que en casi todos los patrones hay diferentes tallas, al copiar las líneas del patrón al papel puede combinar dos tallas de la forma que mejor le convenga. Pase de una talla a otra trazando líneas discontinuas para unir las líneas de corte de las dos tallas. Si, por ejemplo, usted tiene un contorno de cintura de la talla 38 y un contorno de cadera de la talla 40, puede unir las líneas de ambas tallas desde la cadera a la cintura.

9 Contorno de brazo

Alrededor del punto más grueso del brazo.

10 Contorno de cuello

Alrededor del nacimiento del cuello.

11 Largo lateral del pantalón

Desde la cinta auxiliar de la cintura hasta el tobillo.

12 Largo interior de pierna

En el lado interior de la pierna, desde la entrepierna hasta el tobillo.

13 Contorno de muslo

Alrededor del punto más grueso del muslo.

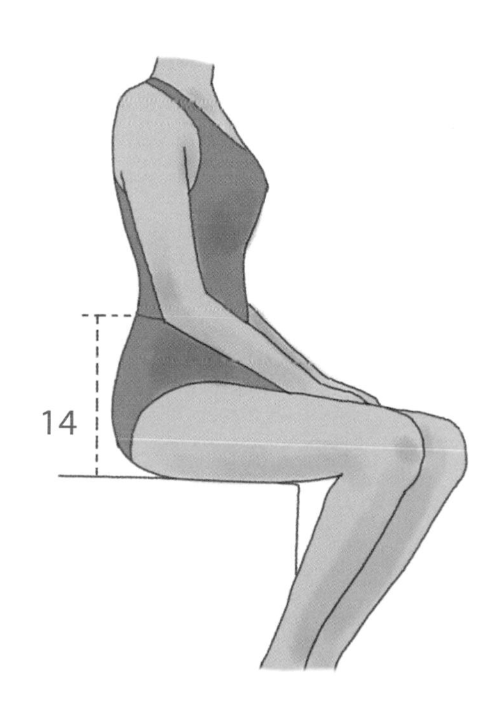

Copiar y cortar patrones

Cuando encuentre una prenda de vestir que le guste, con sus correspondientes patrones e instrucciones de costura, ya puede ponerse manos a la obra. A la hora de escoger la tela deje volar su imaginación, pero debe ser muy minucioso al copiar y cortar el patrón.

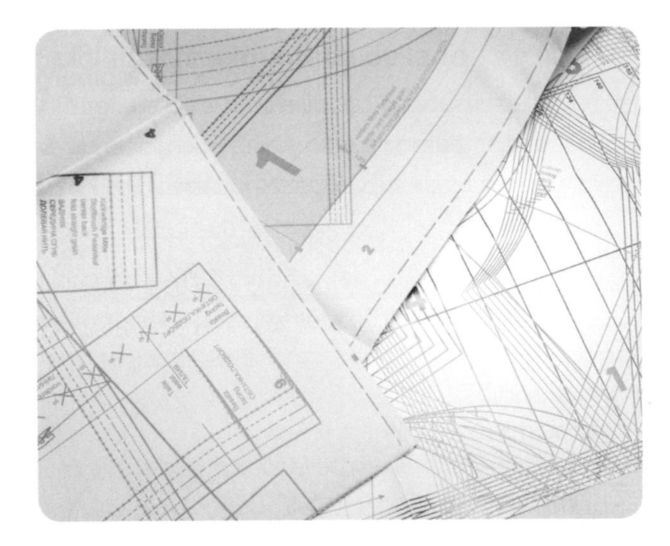

Comprar la tela y otros materiales de costura

En el patrón o en la revista encontrará indicaciones sobre los tipos de tela más apropiados para la prenda elegida y la cantidad que necesitará. Si respeta estas recomendaciones, puede estar seguro de que el resultado será muy similar al de la foto de la revista en cuanto a forma y efecto.

Sin embargo, si el patrón indicaba para, por ejemplo, un pantalón ancho utilizar una tela de viscosa, el efecto final será muy diferente si emplea tela de gabardina o lino. No obstante, es posible que usted desee otro estilo de pantalón y elija intencionadamente un tejido diferente. En este caso necesitará algo de experiencia en costura para poder juzgar los tipos de tela apropiados para la prenda. Como principiante que es, mejor siga a rajatabla las indicaciones del original.

Además de la tela se necesita hilo y, según la prenda, una cremallera, botones, botones de presión, botones de remache, entretela, etc. Todos estos materiales pueden adquirirse en tiendas de telas o mercerías.

Realizar el patrón de papel

Elaborar un patrón a partir de un modelo de patrón ya listo

Mire la tabla de medidas del patrón y decida su talla de confección. En el patrón –a veces hay varios– encontrará dibujos en miniatura de todas las piezas del patrón que necesitará para el modelo de prenda que ha elegido. Primero examínelas con detenimiento y, a continuación, córtelas por la línea que indica su talla de confección.

Si sus medidas corresponden a diferentes tallas, es decir, si, por ejemplo, tiene un contorno de cintura de la talla 40 y un contorno de cadera de la talla 42, trace una línea nueva empezando en la línea de la cintura de la talla 40 y terminando en la línea de la cadera de la talla 42.

Elaborar un patrón a partir de un pliego de patrones

Si escoge la prenda en una revista de moda con pliegos de patrones, junto al modelo de prenda vendrá indicado en qué parte de la revista están las instrucciones de costura. Allí encontrará las diferentes piezas del patrón en miniatura con todas las indicaciones necesarias, tales como el sentido del hilo (señalado con flechas), los dobleces, los pliegues, etc. Y, además, toda la información requerida para confeccionar su patrón de papel, como en qué página del pliego encontrará el patrón, qué color y qué números tiene y qué línea corresponde a cada talla de confección. Ejemplo:

Patrón rojo
Pliego C
Piezas 1-6
Talla 40

Despliegue el pliego C y busque en el borde los números del 1 al 6 escritos en rojo. Desde ahí, diríjase en vertical hacia arriba o hacia abajo hasta encontrar las piezas dibujadas con líneas de color rojo con los números del 1 al 6. Siga las líneas con el dedo para hacerse una idea de la forma de cada pieza. Coloque una hoja de papel de seda debajo del pliego.

Entre ambas hojas, coloque una hoja de papel de calco para costura, con el lado que calca hacia abajo. Entonces, con el piquetero o con un lápiz, repase todas las líneas de las piezas del patrón que corresponda a su talla. No olvide calcar también todas las líneas interiores, como las líneas de costura, el sentido del hilo o los bordes de doblez.

Tome el papel de seda y recorte cada pieza del patrón por fuera de las líneas. A continuación, anote en cada pieza de papel de qué parte de la prenda se trata y el número de veces que ésta se debe cortar en tela. En caso necesario, marque también los bordes que se deben doblar. No olvide copiar también en papel las piezas superpuestas que están dibujadas en las piezas del patrón, por ejemplo, los bolsillos. Confeccione en papel todas las piezas del patrón.

Pasar el patrón de un gráfico cuadriculado a papel

Algunos patrones vienen reducidos sobre un papel cuadriculado. En estos casos viene indicado el tamaño de la cuadrícula, por ejemplo: 1 recuadro corresponde a 5 x 5 cm. Para hacer el patrón, lo más sencillo es adquirir papel cuadriculado para patrones en la papelería. Sus cuadrados miden 1 x 1 cm, con lo que contienen el resto de las medidas de la cuadrícula. Si no dispone de papel cuadriculado, dibuje la cuadrícula con un rotulador en un papel grande (p. ej., de embalar).

Coloque el papel cuadriculado debajo del papel de seda sobre la superficie de trabajo. A través del papel de seda podrá ver la cuadrícula. Entonces, empiece desde un extremo recto del patrón y cuente en una dirección todos los cuadrados hasta la siguiente esquina o curva. Marque este punto sobre el papel. Después, siga contando hasta la siguiente esquina o curva. Continúe hasta que haya pasado al papel de seda todos los puntos.

Una entonces los puntos como indica la plantilla, con una regla o con curvas a mano, cuyo recorrido puede ver con ayuda de la cuadrícula. Para terminar, dibuje todas las marcas del interior y recorte el patrón de papel.

Importante

Si en las instrucciones se indica que se debe utilizar un género elástico, respete esta indicación. Estos cortes han sido concebidos sin adición de movimiento y resultarían demasiado estrechos si se utilizara una tela rígida.

Elaborar un patrón a partir de un rectángulo dimensionado

Algunos modelos incorporan también un dimensionado en un rectángulo circunscrito. Dibuje el rectángulo con todas las medidas exteriores en el papel de seda, y pase las medidas de la plantilla trazando pequeñas líneas sobre las líneas exteriores del rectángulo. A continuación, con ayuda de las medidas exteriores, pase los puntos interiores del patrón.

Una los puntos con la regla o, en el caso de curvas, a mano. Dibuje también todos los contornos interiores y marcas antes de cortar el patrón.

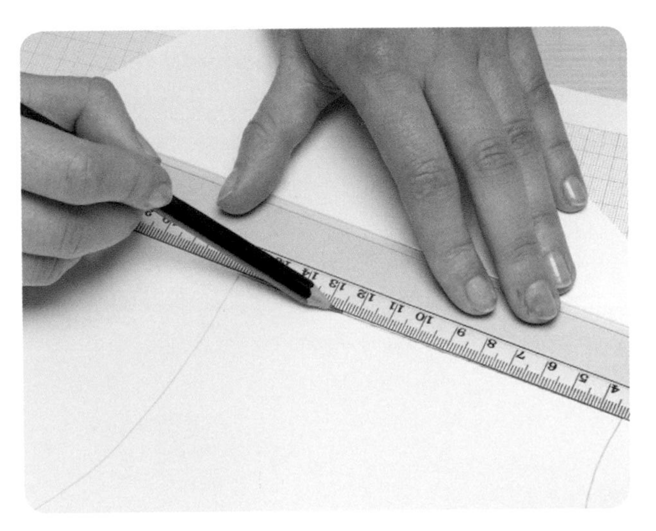

El plan de corte

En las instrucciones de un patrón siempre hay un plan de corte que muestra el orden en que se deben colocar las piezas del patrón sobre la tela para cortarlas. Si la tela es de doble ancho (es decir, de al menos 140 cm), entonces estará doblada y el revés del tejido estará normalmente en el interior. Este pliegue se conoce como el doblez de la tela. Si la tela solo mide entre 70 y 90 cm y, por lo tanto, no se puede doblar en dos, el lado derecho de la tela debe estar hacia arriba al extenderla. En caso contrario, estará indicado explícitamente en el plan de corte.

Coloque las piezas del patrón sobre la tela tal y como se indica en el plan de corte. Respete el sentido del hilo –siempre va paralelo al orillo del tejido– en las piezas del patrón donde viene indicado específicamente. Piense también que si la tela no está doblada en dos tendrá que cortar muchas piezas de tela dos veces pero invertidas, es decir, una de las veces con el patrón de papel al revés. Si la tela está plegada en dos, esto sucede automáticamente.

Una vez que haya colocado todas las piezas del patrón sobre la tela, dejando suficiente espacio entre ellas para los márgenes de costura y de dobladillo, fije las piezas en la tela con alfileres. Con la ayuda de un jaboncillo y una cinta métrica o una regla pequeña, trace entonces sobre la tela los márgenes de costura alrededor de cada pieza del patrón.

Para marcar los márgenes de costura también puede utilizar papel de calco y un piquetero con dos ruedas, poniendo el papel de calco debajo de la tela y pasando el piquetero alrededor de las piezas del patrón. De esta forma habrá copiado al mismo tiempo las líneas de costura y podrá cortar la tela por la línea de los márgenes de costura y de dobladillo.

Si no dispone de un piquetero con dos ruedas, transfiera a la tela las líneas de costura, como se indica a continuación, después de haber cortado las piezas de tela por los márgenes de costura y de dobladillo. Ponga el papel de calco sobre la mesa, con la cara de calcar hacia arriba, y encima coloque las piezas de tela dobladas en dos con el patrón de papel sujeto con alfileres.

Los patrones de papel quedarán hacia arriba. Deslice a continuación el piquetero de una rueda alrededor de cada pieza del patrón. Proceda de la misma forma por el otro lado de la pieza de la tela. Para ello, retire con cuidado el patrón de papel y sujételo con alfileres en el otro lado de la tela doblada en dos.

Para transferir a la tela las marcas del interior del patrón, coloque el papel de calco entre la tela y el patrón de papel, con la parte de calcar sobre la tela, y entonces pase el piquetero sobre las marcas del interior del patrón.

Las personas con experiencia en costura solo marcan el principio y el final de una línea de costura y unen entonces ambos puntos trazando una línea paralela al margen de costura. No obstante, esto solo funciona cuando todos los márgenes de costura son rectos y han sido cortados exactamente igual de anchos. Asimismo, los expertos marcan el vértice de las pinzas simplemente clavando una aguja, a través del papel y la tela, en sentido vertical. Este punto se marca entonces por ambos lados de la tela con un jaboncillo o un alfiler.

Consejos para el corte

Las agujas dejan marcas en el cuero o en las telas plásticas. En este caso, en lugar de alfileres utilice cinta adhesiva.

Para tejidos a mano o voluminosos como el fleece es preferible utilizar alfileres largos.

Para que las telas muy lisas y finas como la seda o la viscosa no se resbalen, fíjelas con cinta adhesiva en la mesa de corte o bien ponga un mantel debajo de ellas.

Para encontrar el bies de la tela, doble la tela en diagonal formando un triángulo, de modo que el orillo del tejido y el borde de corte queden uno encima de otro. Planche el doblez diagonal que se ha formado o márquelo con jaboncillo.

En tejidos llamados «con pelo», como el terciopelo o la pana, todas las piezas del patrón deberán disponerse para cortar en la misma dirección.

En caso de telas con cuadros o rayas, estos deben casar con exactitud en las costuras.

El derecho y el revés de la tela

Al coser, se habla del derecho y el revés de la tela. A continuación le explicamos cómo puede reconocer cuál es cuál en diferentes tipos de género:

El revés de una tela es el lado que no se verá cuando la prenda se haya terminado de coser, es decir, el que va en contacto con el cuerpo. Cuando las telas son estampadas, el color no suele penetrar por completo hasta el revés de la tela; en el caso de los géneros tejidos, el motivo aparece al revés; en los tejidos a mano se reconoce cada lado porque los puntos aparecen del derecho o del revés.

El derecho de la tela es el lado «bueno», el que se va a ver. En este lado de la tela los colores son más vivos y los estampados están en la posición «correcta». Los géneros tejidos tienen a menudo una estructura más fuerte por el lado derecho.

En algunas telas es difícil reconocer el derecho y el revés, como en el tejido de un solo color. En estos casos le recomendamos que antes de empezar a coser haga una cruz con un jaboncillo en el revés de todas las piezas de tela. De este modo, al cortar y coser las piezas no cometerá ningún error.

Puntadas a mano y a máquina

Hay trabajos de costura que se recomienda realizar a mano. Las puntadas a mano pueden resultar muy decorativas. La máquina de coser suele ahorrar tiempo, pero hay zonas de difícil acceso donde coser a mano es más rápido y sencillo.

Puntadas a mano

1 Basta o hilván

Este tipo de puntada se utiliza para unir piezas de tela de forma provisional y poder probarse la prenda y hacer correcciones. El hilo se retirará después. Se trabaja de derecha a izquierda y las puntadas deben tener unos 6 mm de longitud. Clave la aguja varias veces en la tela hacia abajo y hacia arriba y tire del hilo; este debe quedar tenso pero sin fruncir la tela.

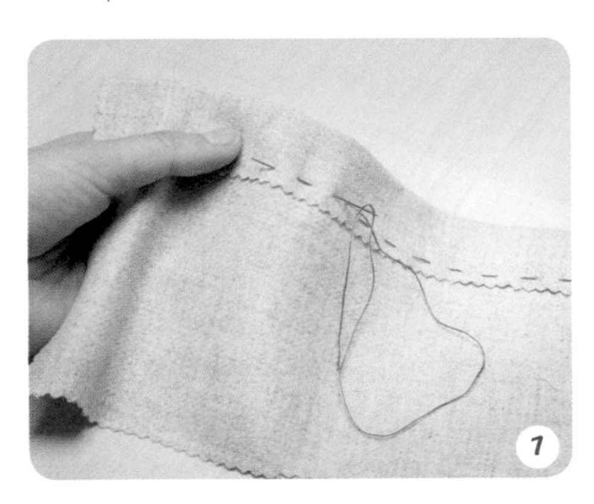

1

2 Pespunte

Se suele hacer a máquina, pero si no dispone de ella puede trazarlo a mano y coser así costuras firmes. Empiece haciendo un nudo en el hilo y con un punto atrás. Trabaje de derecha a izquierda y con puntadas de 3 mm. La aguja se clava al final del punto anterior y se saca un poco más adelante; la longitud del punto en el revés de la tela será doble (6 mm). Las puntadas deben ser rectas y uniformes para que la costura quede perfecta.

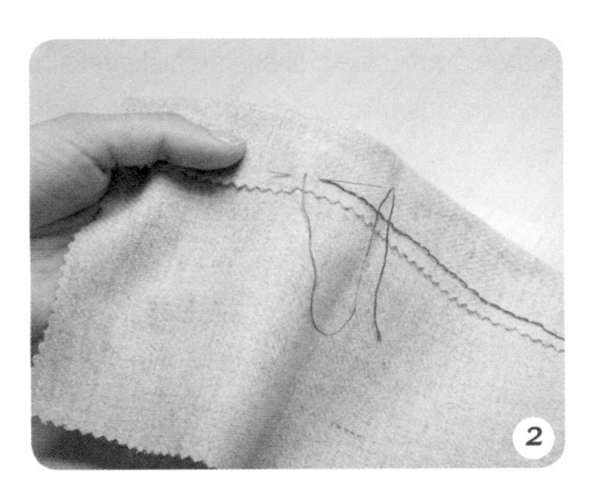

2

3 Punto de lado o de dobladillo

El punto de lado se utiliza para asegurar dobladillos, y las puntadas casi no se ven en el derecho de la tela. Se trabaja de derecha a izquierda. Haga un doblez hacia dentro en el lado sobrehilado con zigzag (*véase* la página 26) y fije el hilo en el interior de la tela con algunas puntadas. Haga una puntada en el revés de la tela, ligeramente por encima del borde, a unos 6 mm hacia la izquierda, tomando solo unos hilitos; el punto no debe atravesar todo el tejido para que no se note por el derecho.

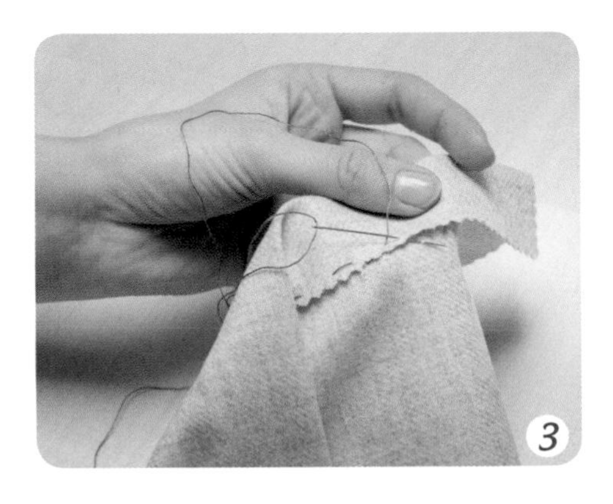

3

Entonces haga la siguiente puntada a unos 6 mm hacia la izquierda en el dobladillo, clavando la aguja de abajo arriba a través del borde pespunteado. Repita estas puntadas a lo largo de todo el dobladillo.

4 Puntada invisible

Es un tipo de puntada que se utiliza para coser dobladillos sin sobrehilar para los que la tela se dobla dos veces. Se trabaja de nuevo de derecha a izquierda. Clave la aguja de abajo arriba a través del borde del dobladillo. Vuelva a clavarla en el interior de la tela simple, unos 2 mm hacia la izquierda, por encima del dobladillo. Al hacerlo tome solo un par de hilos, teniendo cuidado de que la aguja no traspase la tela por completo para evitar que la puntada se vea por el derecho. Entonces vuelva a clavar la aguja en el pliegue del dobladillo, unos 2 mm hacia la izquierda, y sáquela a unos 6 mm de distancia hacia la izquierda, tirando del hilo antes de llevar a cabo la siguiente puntada. A medida que avanza, tire con suavidad del hilo para tensarlo ligeramente.

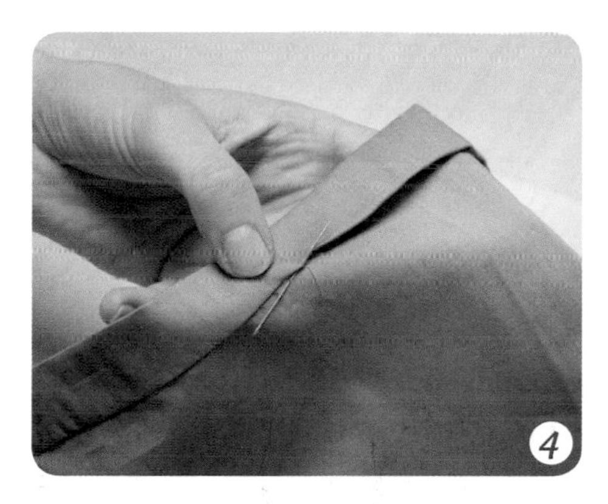
4

Punto de festón

5 *Rematar orillas*

Con este tipo de puntadas se rematan orillas decorativamente, como mantas de lana o de fleece. Este punto también se utiliza para hacer presillas de hilo. Se trabaja de derecha a izquierda. Haga un punto en la tela para fijar el hilo y sáquelo por la orilla de la tela. Pase una lazada hacia la izquierda, clave la aguja a unos 5 mm del borde de la tela, y sáquela por detrás dejando el hilo de la lazada por debajo de la aguja. Tire de la aguja con el hilo hacia arriba y hacia la izquierda, de modo que la lazada se forme en el borde de la tela.

Prosiga de la misma manera. La distancia entre las puntadas la decide usted, pero procure que siempre sea la misma.

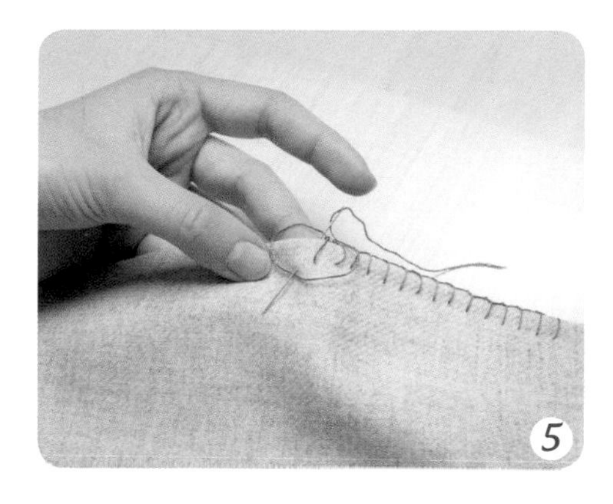
5

6 *Presillas de hilo*

Introduzca la aguja con dos hebras en el borde de la tela y ejecute dos puntos de base según el largo deseado para la presilla. Trabaje el punto de festón pasando el ojo de la aguja por debajo de los puntos de base y a través de la lazada.

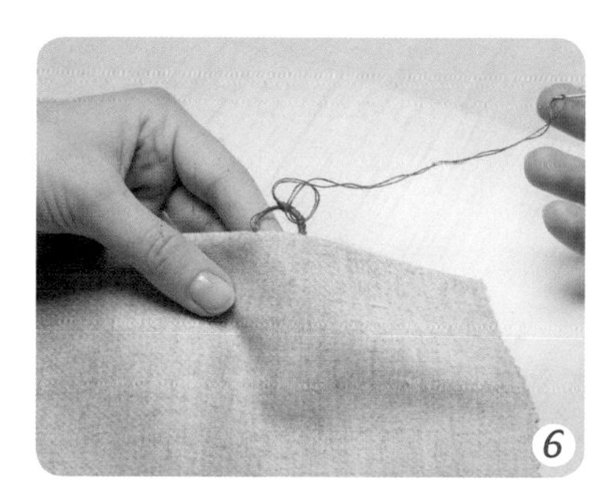
6

Saque la aguja a través de la lazada, tirando de ella hasta apretarla a los puntos de base. Trabaje el punto de festón a todo lo largo de los puntos de base. Asegure la puntada con dos puntos atrás cortos.

Puntadas a máquina

7 Punto recto

Con esta puntada se pespuntean todas las costuras fuertes. La longitud de la puntada puede ajustarse a 0-5 mm (la longitud de la puntada para costuras normales es de 2-3 mm).

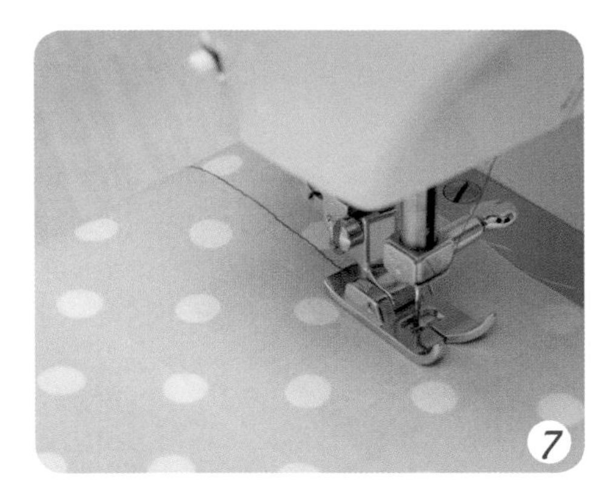

8 Puntada de hilván

La puntada de hilván consiste en un punto largo en la parte superior de la tela y uno corto en la inferior. El hilo se puede sacar de la tela con facilidad, por lo que es muy apropiada para hilvanar o marcar telas. No todas las máquinas de coser disponen de este tipo de puntada. En caso de que la suya no lo tenga, hilvane a mano (*véase* la página 24). El punto de hilván se pasa siempre al lado de la línea de costura en el margen de costura.

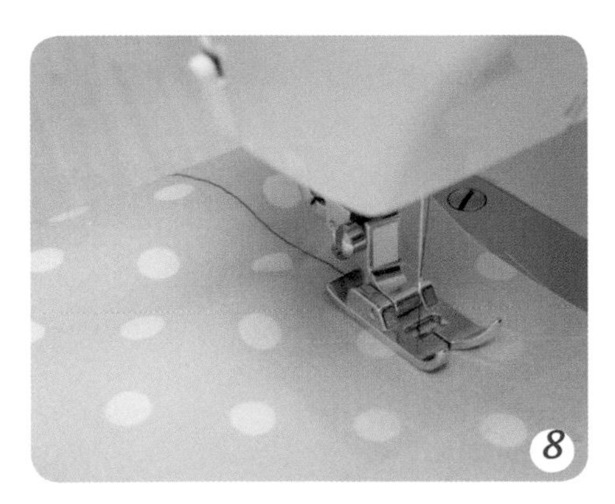

9 Puntada zigzag

Con esta puntada se sobrehílan los bordes de la tela para evitar que se deshilachen. En la máquina se pueden ajustar la longitud y la anchura de la puntada. La puntada zigzag ancha es apropiada para pespuntear cinta elástica. Si se ajusta a un ancho de puntada de 0,3-0,5 mm, la puntada zigzag puede sustituir a la puntada elástica.

Antes de empezar a coser pruebe siempre en un retal para ver cómo queda. Si va a coser un ojal, la longitud de puntada debe ser de 0,25 mm y el ancho, de 1,5-2 mm.

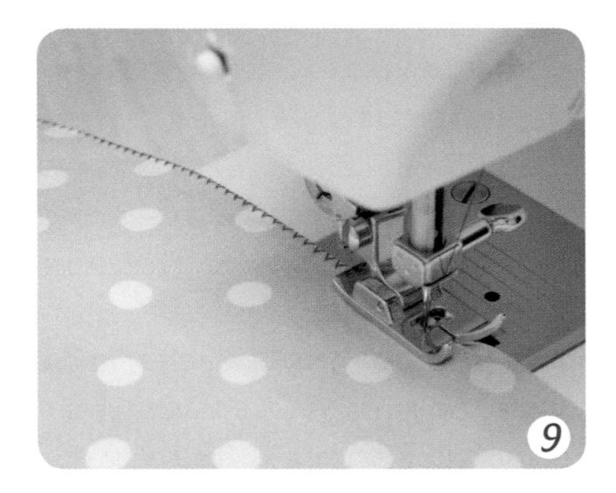

10 Punto de lado o de dobladillo

Con esta puntada se cosen dobladillos prácticamente sin que se vea la costura. En el derecho de la tela solo se verán pequeños puntos verticales. No todas las máquinas pueden hacerla; en caso de que la suya no lo haga, cosa el dobladillo a mano (*véase* la página 24).

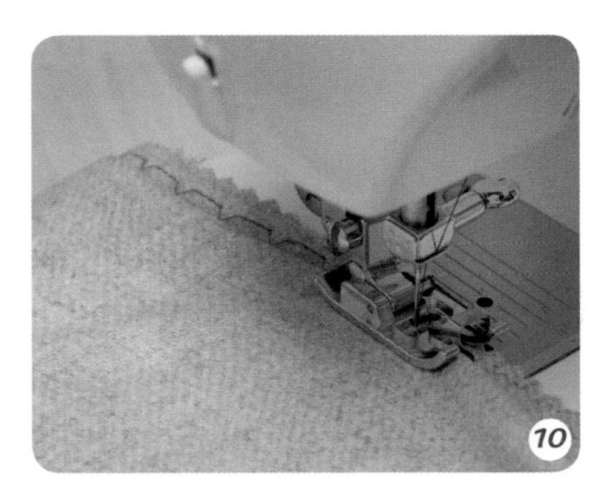

Proyecto de costura: almohadón de sofá de terciopelo y punto

Para confeccionar los almohadones grandes y pequeños corte un cuadrado de 42 x 42 cm o de 32 x 32 cm de cada tela: tejido de punto, de algodón o de forro, y de terciopelo. Corte el tejido de punto paralelo a las hileras del tejido. Coloque el cuadrado de punto encima del de algodón o de forro, revés contra revés, y fíjelo con alfileres. Sobrehíle los bordes de ambas piezas juntas, teniendo cuidado de que el tejido de punto no se deforme. Sobrehíle también la pieza trasera con punto zigzag. Coloque una cremallera de 30 cm de largo, abierta y centrada, derecho sobre derecho, sobre los bordes inferiores de las piezas delantera y trasera. Cósala tan cerca de los dientes de la cremallera como pueda. Por último, cierre un poco la cremallera y cosa los bordes de la funda del almohadón, con las telas derecho sobre derecho. Empiece en el principio de la cremallera y acabe en el otro extremo de ella. Dele la vuelta a la funda, plánchela y rellénela con un almohadón de plumas.

(Idea/realización: Rabea Rauer e Yvonne Reidelbach)

11 Puntadas decorativas

Las puntadas decorativas se basan sobre todo en el punto zigzag, aunque algunas se hacen con punto recto o bien con una combinación de ambos. A menudo se aplican en prendas infantiles o trajes folclóricos. Según el modelo de máquina de coser, incluso se pueden bordar nombres. Pero las puntadas decorativas no suelen contemplarse en una máquina de coser estándar, por lo que encarecen el precio final.

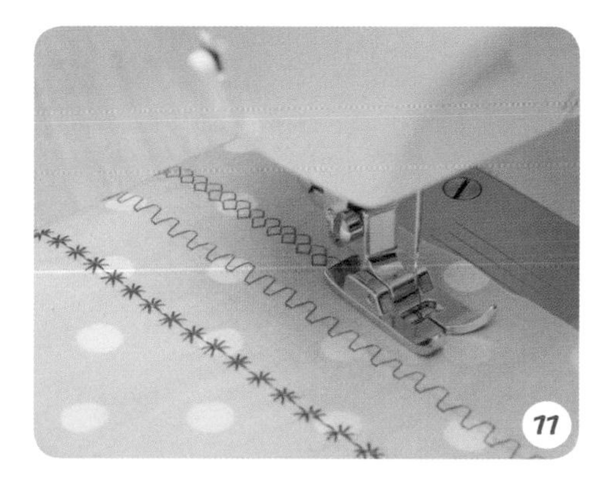

Costuras

Con una costura se unen dos piezas de tela; las puntadas de la costura quedan siempre encima de la marca de la línea de costura. Los hilvanes para preparar la costura se cosen, justo a su lado, en el margen de costura.

Pespunte recto

1 Coloque las piezas de tela una encima de otra con los bordes de corte juntos; casi siempre se disponen «derecho sobre derecho». Puede unir las telas de forma provisional colocando alfileres a una distancia de unos 10 cm en ángulo recto respecto al recorrido de la costura. Pespuntee la costura por encima de los alfileres y retírelos después. Si no tiene mucha experiencia o si la costura está en una zona difícil, le recomendamos que ponga alfileres y que después pase un hilván al lado de la línea de costura en el margen de costura. En este caso puede ir retirando los alfileres poco a poco a medida que pasa el hilván.

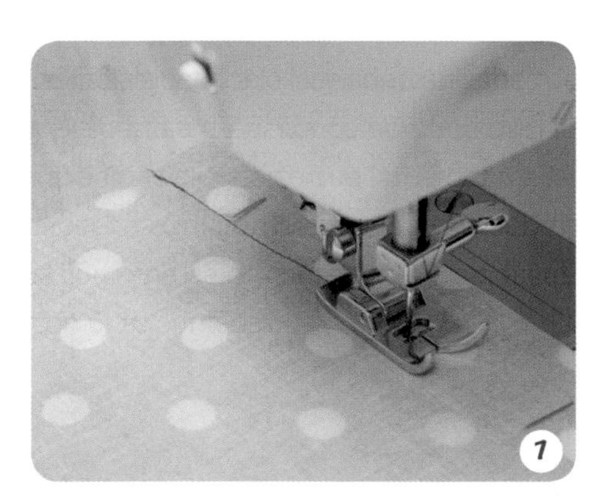

2 Coloque la tela debajo del prensatelas de la máquina de coser. Girando el volante, clave la aguja en la tela en la marca de la costura y, a continuación, haga descender el prensatelas. Dé tres o cuatro puntadas, accione la palanca de retroceso de la máquina y cosa hacia atrás otras tres o cuatro puntadas, pegadas a las anteriores por el lado del margen de costura, hasta el principio de la

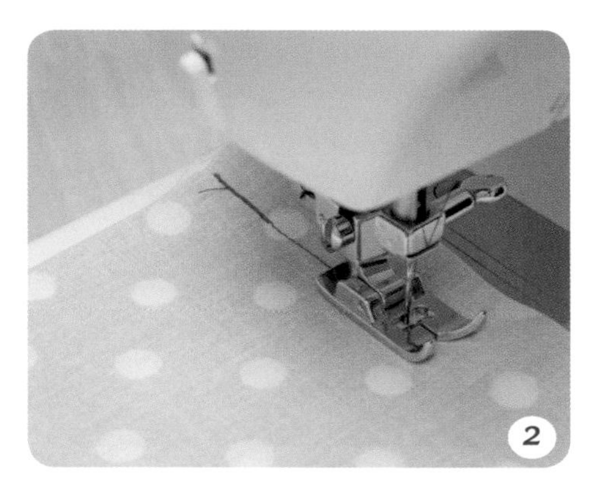

costura. Accione la palanca para coser de nuevo hacia delante, cosa por encima de los puntos atrás y siga pespunteando por la línea de costura hasta el final.

3 Asegure el final de la costura con unos puntos atrás, como ha hecho en el principio de ella, dando varias puntadas atrás sobre los últimos puntos o justo al lado por

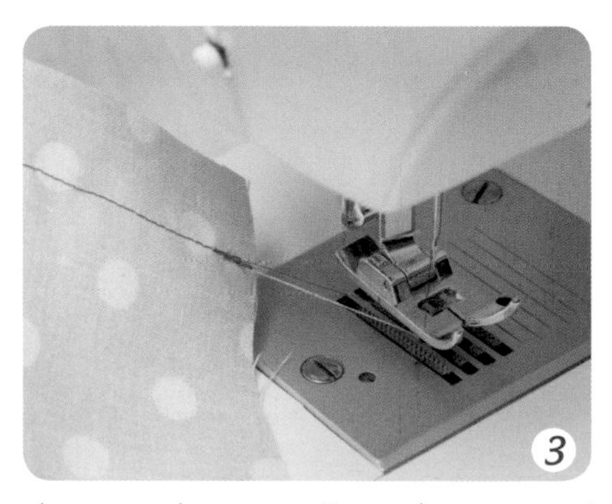

el margen de costura. Esto se hace para evitar que la costura se deshaga. Todos los pespuntes se deben asegurar al principio y al final.

4 Retire el hilván o los alfileres y planche la costura. Esto es muy importante para asentar las costuras. Después, deberá planchar los márgenes de costura abiertos, o bien juntos hacia un lado. Una vez pespunteadas las costuras, se deberán sobrehilar los márgenes de costura con punto zigzag, y siempre en este orden.

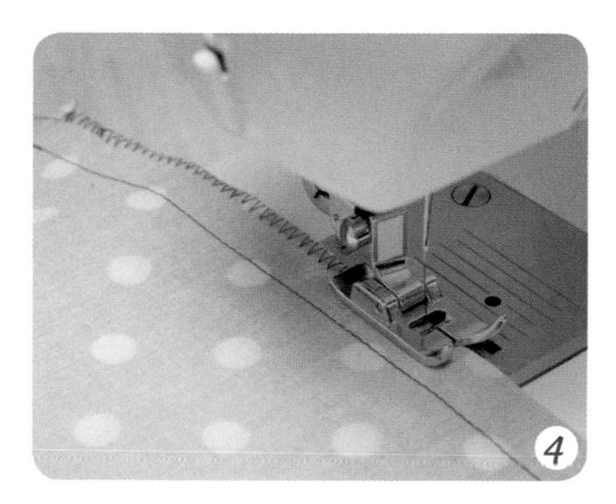
4

5 Si desea que la prenda tenga un aspecto elegante, pase un pespunte por el derecho de la tela a pocos milímetros de la costura. Pero si desea una prenda deportiva, pase dos pespuntes, uno a cada lado de la costura del ancho del prensatelas. Después, planche las costuras.

Coser esquinas exteriores

Encontramos esquinas exteriores, por ejemplo, en fundas de cojines, cuellos de camisas, bordes de solapa o puños.

1 Ponga las piezas de tela derecho sobre derecho y pase un pespunte, con una longitud de puntada normal, por la línea de costura hasta unos 2,5 cm del borde de la tela. Para reforzar la esquina, acorte la longitud de puntada a 1,3-1,5 mm y siga cosiendo hasta la esquina (si está cosiendo cuero o piel sintética, mantenga la longitud de puntada normal ya que, de lo contrario, perforará el tejido y este se desgarrará).

2 Clave la punta de la aguja en la tela, levante el prensatelas y gire la tela 90º. Haga descender el prensatelas otra vez y pespuntee 2,5 cm de la costura. Después, vuelva a cambiar la longitud de puntada a la anterior.

2

3 Recorte la esquina en un ángulo de 45º hasta 2 mm antes de llegar a la esquina de la costura. Y antes de poner la tela del derecho, planche la costura. Una vez que le haya dado la vuelta, ayúdese con una aguja para sacar la esquina con cuidado. Hilvane el borde de la funda y vuelva a plancharla.

3

Coser esquinas interiores

Encontramos esquinas interiores en escotes cuadrados o de pico. El principio para coserlas es el mismo que para coser esquinas exteriores.

1 Ponga las piezas de tela derecho sobre derecho y pase un pespunte, con una longitud de puntada normal, por la línea de costura hasta unos 2,5 cm del borde de la tela. Acorte la puntada a 1,3-1,5 mm y siga cosiendo hasta la esquina. Clave la aguja en la tela, levante el prensatelas y gírela 90º. Descienda el prensatelas de nuevo y siga cosiendo 2,5 cm. Por último, vuelva a poner la longitud de puntada normal y siga cosiendo.

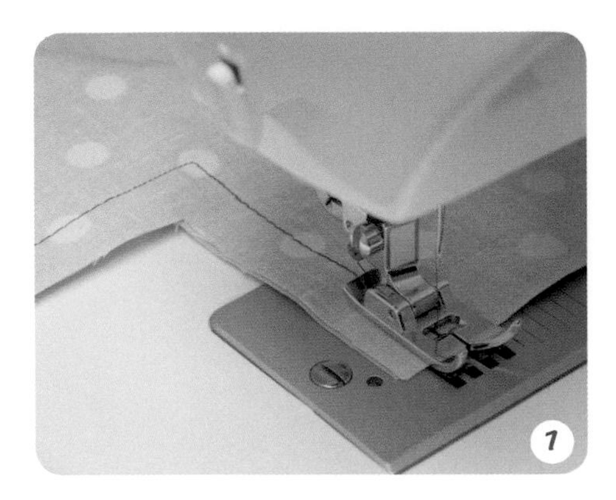

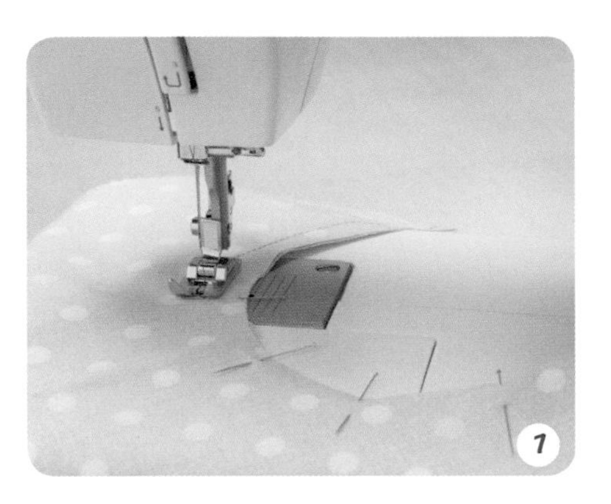

2 Recorte la esquina de la tela en un ángulo de 45º, como se muestra en la fotografía inferior, hasta 2 mm antes de la esquina de la costura. Planche la costura y ponga la tela del derecho. Saque la esquina con una aguja, procurando que la esquina quede plana y que los márgenes de costura no se junten. Vuelva a planchar la costura.

Coser curvas

Marque siempre la línea de costura con jaboncillo o con un marcador para tejidos.

1 Ponga las piezas de tela derecho sobre derecho. Ajuste la puntada a algo menos de 1,5 mm (longitud normal) y pase un pespunte por la línea de costura. Cosa despacio y vaya girando la tela uniformemente a medida que avanza.

2 Practique cortes, perpendiculares a la costura, en los márgenes de costura hasta 2 mm antes del pespunte. La distancia y el número de los cortes dependen de la curva: cuanto más cerrada sea, más cortes serán necesarios. Planche la costura, ponga la tela del derecho, hilvane los bordes y plánchelos.

Costuras decorativas

Con este tipo de costuras, realizadas por el derecho de la tela, se acentúa el estilo de una prenda de ropa: los pespuntes dobles dan a la prenda un carácter deportivo, mientras que una costura fina hace que resulte elegante.

Costuras decorativas estrechas o anchas

Para realizar una costura decorativa estrecha, se debe pasar un pespunte por el derecho, a 1-2 mm de la costura de unión o del borde. Para que el pespunte quede paralelo a la costura o al borde, puede mover la aguja hacia la izquierda hasta el tope y guiar el prensatelas a lo largo de la línea de costura. Para hacer la costura decorativa ancha, coloque el prensatelas pegado a la costura de unión o al borde y realice el pespunte. Si desea trazar una costura decorativa estrecha y una ancha, empiece siempre por la estrecha.

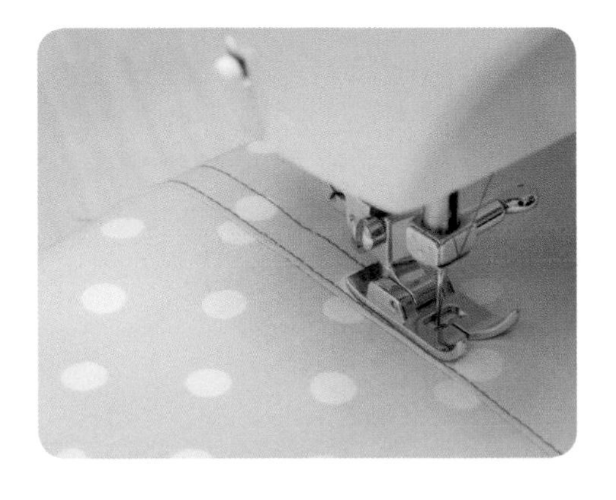

Costuras decorativas abiertas
Planche los márgenes de costura abiertos y, por el derecho, pase un pespunte a cada lado de la costura de unión. Si desea una costura estrecha, páselo a 1-2 mm de la costura de unión; si desea una costura ancha, tome el prensatelas como referencia.

Costuras con puntadas decorativas
En los trajes folclóricos las costuras se suelen acentuar utilizando pespuntes con puntadas decorativas (*véase* la página 27). Emplee hilos de colores que contrasten con el tejido. Si desea realizar pespuntes dobles, uno a cada lado de la costura de unión, abra los márgenes de costura y plánchelos; si solo quiere un pespunte, plánchelos juntos hacia un lado. Elija una o varias puntadas decorativas que queden bien con el diseño del traje y pase los pespuntes trabajando de derecha a izquierda. Los márgenes de costura quedarán cosidos automáticamente.

Embeber bordes

Embeber es repartir el sobrante de una tela montada en otra sin que se formen frunces o pliegues aparentes. Los profesionales saben embeber sin necesidad de pasar un hilván, pero para principiantes este paso es de gran ayuda.

1 Pase dos hilvanes en la pieza de tela más larga, cada uno a 0,5 cm de la línea de costura.

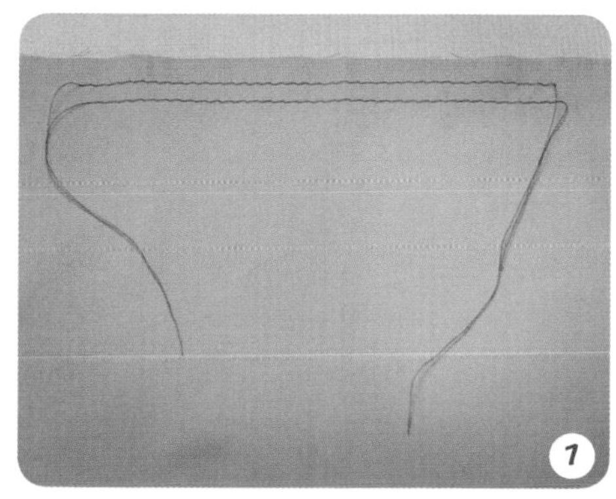

Un hilván es una costura de punto recto cuyas puntadas tienen unos 4-5 mm de longitud. Al final de cada hilván deje colgar los hilos unos 10 cm.

2 Coloque las dos piezas de tela una encima de la otra, derecho sobre derecho, y a continuación sujételas con alfileres en los extremos. Tire de ambos hilos por uno de los lados para fruncir ligeramente la tela hasta que

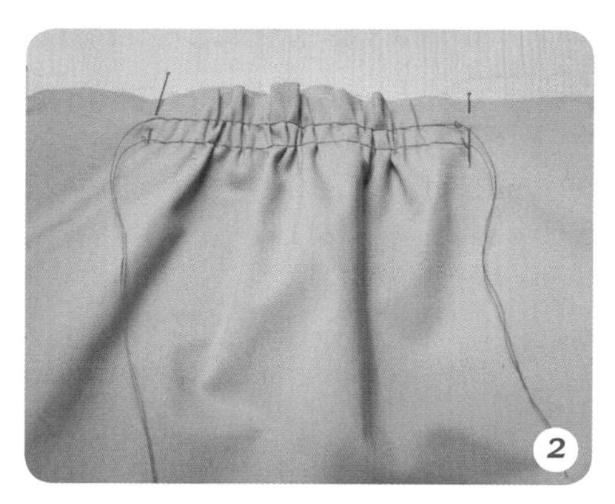

alcance la misma longitud que la pieza de tela más corta.

3 Reparta la tela fruncida uniformemente de modo que, al pasar el pespunte después por la línea de costura, no queden arrugas. Después de pasar el pespunte, retire todos los hilvanes.

Hilván y bastilla

Al embeber o fruncir una tela, el flojo se reduce rizando la tela de modo que se creen pequeñas arrugas.

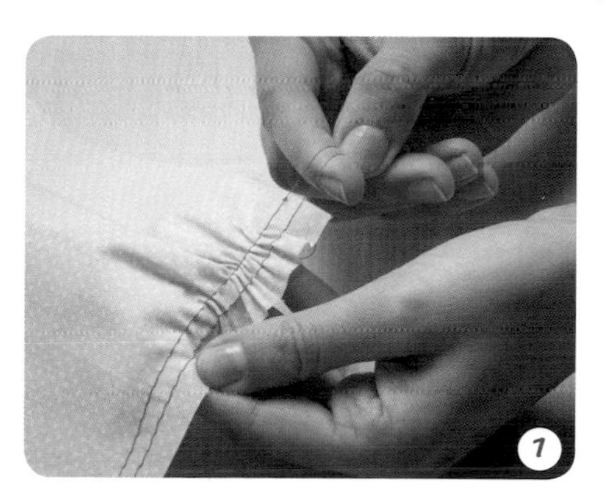

1 Pase dos hilvanes paralelos, con puntadas de 4-5 mm, dentro del margen de costura. Al final de cada hilván deje colgar cada uno de los hilos unos 10 cm. Anude ambos hilos por uno de los lados lo más cerca posible de la línea de costura. En el otro extremo, tire de ambos hilos de modo que la tela se frunza. Una vez obtenida la longitud deseada, anude los hilos aquí también, cerca de la línea de costura.

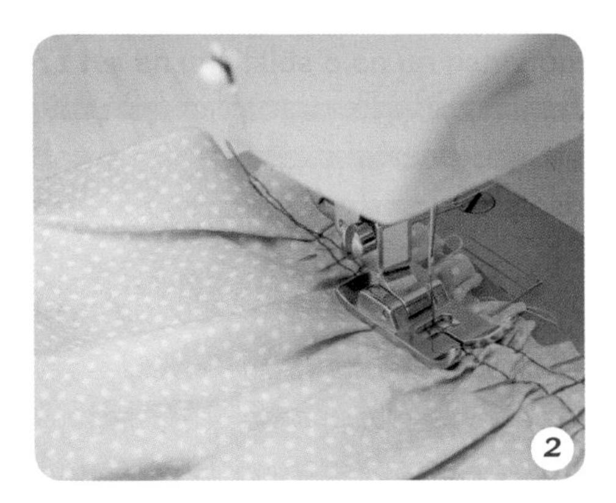

2 Distribuya el flojo de manera uniforme, repartiendo la tela fruncida a lo largo de los hilvanes. Entre ambos hilvanes se formarán varias arrugas verticales. Ahora pase un pespunte para unir el borde fruncido con la tela inferior lisa.

Costura sobrecargada

En la costura sobrecargada, especialmente fuerte (como en pantalones tejanos), al menos se deben dejar 1,5 cm de margen de costura.

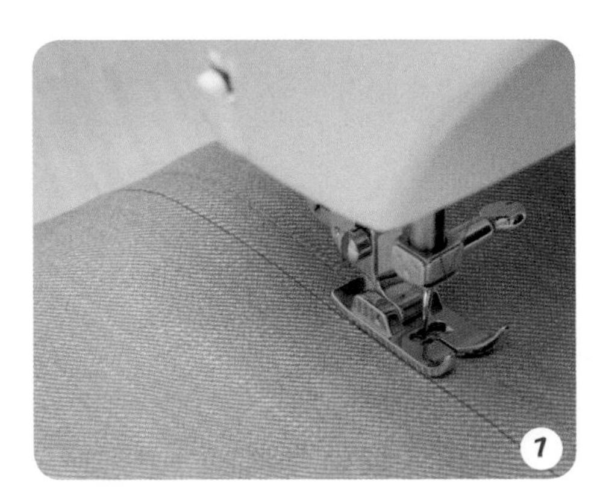

1 Coloque las dos piezas de tela revés sobre revés y pase un pespunte por la línea de costura. Planche plana la costura y, después, planche los márgenes de costura hacia un lado. Recorte el margen de costura inferior dejando solo 3 mm. Doble hacia dentro el orillo del margen de costura superior unos 5 mm, colóquelo de modo que cubra el inferior y plánchelo. A continuación, pase un pespunte muy cerca del doblez.

Costura francesa

Este tipo de costura es muy apropiado para tejidos finos y transparentes, ya que los márgenes de costura, normalmente visibles por el derecho en este tipo de telas, desaparecen. Calcule 1,5 cm para los márgenes de costura.

1 Coloque las telas revés sobre revés, sujételas con alfileres e hilvánelas; pase entonces un pespunte a 1 cm del borde. Recorte los márgenes de costura dejando solo 3 mm y plánchelos abiertos.

2 Pliegue las piezas de tela por la costura, derecho sobre derecho, y planche el borde de la costura. Pase un segundo pespunte a 5 mm del borde de la costura, de este modo los orillos quedarán encerrados. Planche plana la costura y después hacia un lado.

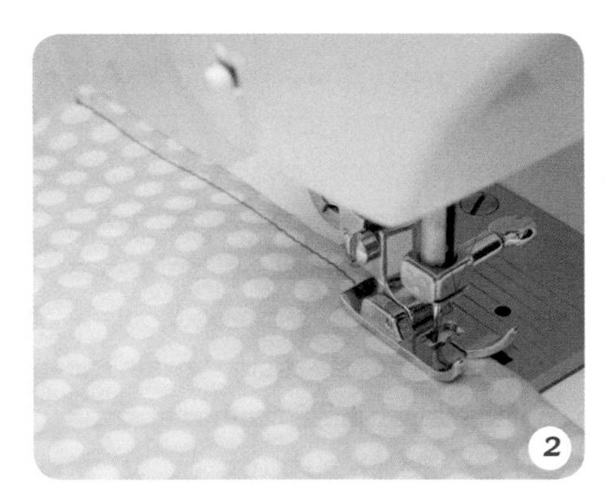

Costuras para tejidos especiales

Tejidos muy finos

Aplique la costura francesa (*véase* arriba). A veces, las telas muy finas no se deslizan bien bajo el prensatelas y son difíciles de manipular. Le recomendamos que coloque papel de seda debajo de la primera capa de tela; así, además, el tejido fino no será arrastrado tan fácilmente en el agujero de la placa de aguja. Al terminar de coser, el papel de seda se puede quitar tirando de él, ya que habrá quedado perforado por las puntadas. Para este tipo de tejidos utilice una aguja fina y afilada (grosor 60).

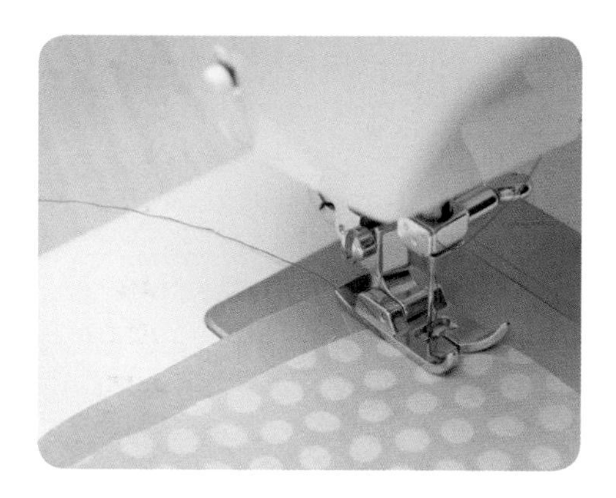

Tejidos elásticos

Para el tejido de jersey utilice siempre una aguja con punta de bola para no dañarlo. Si su máquina de coser no dispone de puntada elástica, use una puntada plana de zigzag con un ancho de puntada de 0,5-1 mm. Así, tanto la costura como la tela quedarán elásticas. Si a pesar de que el tejido sea extensible la costura no debe quedar elástica, por ejemplo, una sisa, coloque un pedazo de cinta al bies, doblada y centrada a lo largo de la costura, sobre la capa superior de tejido. Entonces pase el pespunte con la cinta incluida. Para pespuntear los bordes del tejido use una aguja doble. Coloque dos canillas en la máquina, pase ambos hilos juntos por la guía del hilo y después enhebre cada aguja con uno de ellos.

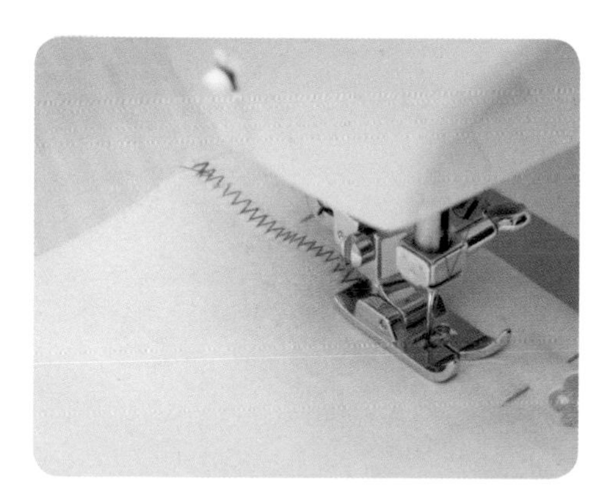

Cuero, piel sintética y tela plástica

Para evitar los agujeros que dejan las agujas en estos tejidos, utilice cinta adhesiva en lugar de alfileres para sujetarlos. Otra posibilidad es aplicar pegamento para telas o para piel. Una las piezas de tela poniendo pegamento en los márgenes de costura, muy cerca de la línea de costura. De este modo podrá probarse la prenda de ropa con cuidado, y unirla sin que se deslicen las piezas de tela. Para coser utilice una aguja para cuero de punta triangular. La longitud de puntada debe ser de unos 3-3,5 mm.

Imitaciones de piel

El pelo de las pieles sintéticas, ya sea corto o largo, va siempre en una dirección. Corte el tejido siempre a contrapelo (se nota al pasar la mano), pero cosa las costuras en el sentido del pelo. Tras coserlas, coloque la prenda de ropa sobre la mesa con el pelo hacia arriba y, con ayuda de una aguja, saque con cuidado el pelo que se haya quedado atrapado en las puntadas. A continuación, dele la vuelta y recorte con la tijera el pelo de los márgenes de costura para que no se estropeen.

Accesorios especiales para la máquina de coser

Si suele trabajar con tejidos de seda, cuero, piel sintética o imitación de piel, le recomendamos adquirir un transportador superior. Este accesorio trabaja en sincronía con la aguja y el transportador inferior, de modo que ambas capas de tela son transportadas juntas. No obstante, antes de invertir en esta pieza de tan elevado coste, debería considerar la posibilidad de comprar una nueva máquina de coser.

En algunos modelos se puede adaptar un prensatelas con rodillo; este gira al coser y presiona la capa superior de tela sobre la inferior, de modo que ambas son transportadas de modo uniforme.

Un prensatelas con revestimiento de teflón se desliza mejor sobre piel y telas plásticas que un prensatelas universal. Si no dispone de uno, utilice una tira de papel de seda.

Sobrehilar orillas

Todos los orillos visibles en el interior de la prenda deben sobrehilarse para evitar que se deshilachen. Los orillos que queden escondidos no se han de sobrehilar necesariamente.

Tijera dentada

Si el tejido es grueso, los bordes de la tela se pueden cortar con una tijera dentada. Además, las muescas en zigzag de este tipo de tijera hacen innecesario el sobrehilado. Corte el orillo de la tela en paralelo a la costura.

Puntada zigzag

Con la puntada zigzag (longitud y ancho de puntada de unos 2-3 mm) se sobrehílan orillos de tela de forma rápida y duradera (*véase* la página 26). Los márgenes de costura de dos piezas de tela cosidas pueden sobrehilarse juntos o por separado.

Sobrehilar con zigzag

Los orillos cortados al hilo o al bies se sobrehílan con zigzag tupido, es decir, con una longitud de puntada de 0,2 mm y un ancho de puntada de 1-5-2,5 mm. Pase el zigzag sobre el borde del dobladillo o doble el margen hacia dentro y pase el zigzag por el borde del doblez. Recorte los márgenes sobrantes a lo largo del zigzag.

Si ha cortado la tela al bies, su borde será elástico y se formarán ondas.

Márgenes de costura doblados

Planche los márgenes de costura abiertos. A continuación, doble los bordes de los márgenes de costura hacia dentro unos 3-5 mm y plánchelos de nuevo. Por último, pase un pespunte muy cerca de los bordes.

Rematar con cinta al bies

Los márgenes de costura de chaquetas y abrigos sin forrar se rematan con cinta al bies.

Cinta al bies plegada

1 Desdoble la cinta sobre el borde de la tela, encarando los derechos, y préndala con alfileres. Pase un pespunte por el borde del doblez de la cinta.

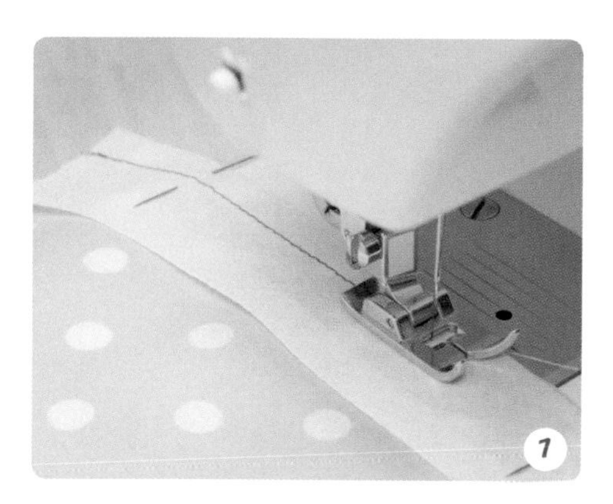

2 Pase la cinta por encima del borde de la tela hacia el revés, y préndala con alfileres de modo que el borde del doblez de la cinta asome 1 mm por encima del borde de la costura de unión. Pase un hilván, si lo considera necesario, y después haga un pespunte por el derecho en el borde de la costura de unión o bien sobre la cinta al bies.

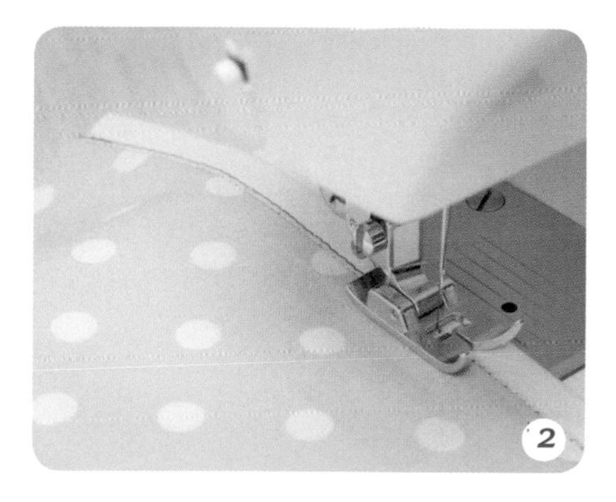

Confeccionar cinta al bies

Con una máquina de hacer bies, que se puede adquirir en los comercios especializados, se elabora cinta al bies en un santiamén.

1 Corte una tira de tela al bies (*véase* la página 23). El ancho de la tira depende del tamaño de la máquina de hacer bies.

Si desea obtener una cinta muy larga, deberá cortar varias tiras de tela y unirlas. Para ello, superponga los extremos estrechos de las tiras en forma de «V» en ángulo recto. Pespuntee el lado recto en que las esquinas sobresalen unos 0,5 cm. Luego planche los márgenes de costura y recorte las esquinas que sobresalgan.

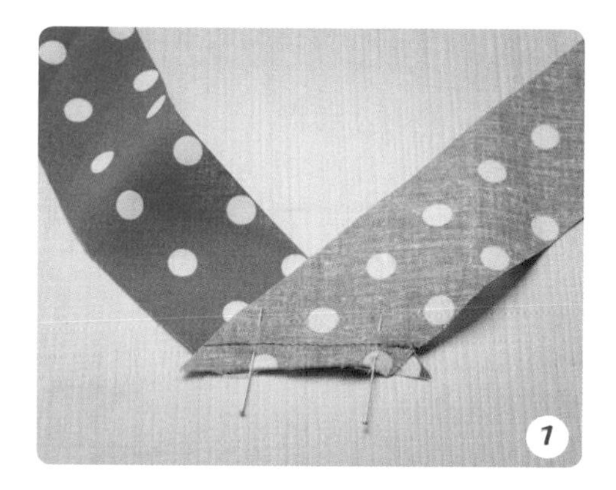

2 Introduzca el principio de la tira de tela en la máquina de hacer bies y tire un poco de ella con cuidado por el otro lado. Vaya planchando la cinta a medida que la vaya haciendo pasar por la máquina.

Una vez que esté lista, vuélvala a planchar, insistiendo en particular en los bordes de doblez.

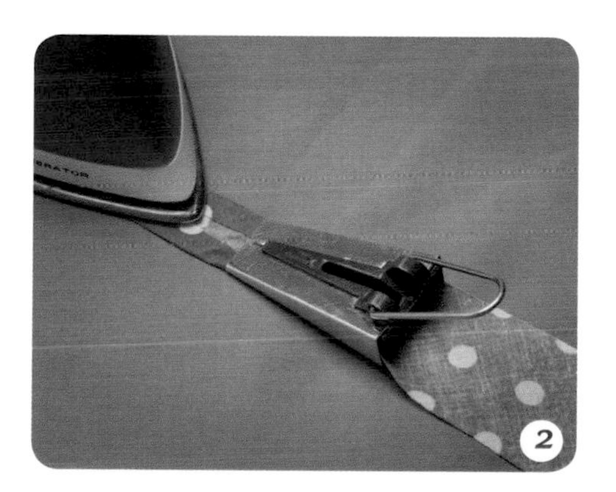

Dobladillos

Los dobladillos son los remates que se cosen en los bordes de una falda, manga, pantalón o blusa. Hágalos con su máquina aplicando la puntada de lado o de dobladillo, que se cose en un abrir y cerrar de ojos, es muy resistente y queda tan «invisible» como la que se realiza a mano.

Dobladillo con puntada de lado

Al coser un dobladillo a máquina, el plegado del borde de la tela es crucial. El esquema que se muestra a continuación es muy simple y le servirá para cualquier dobladillo.

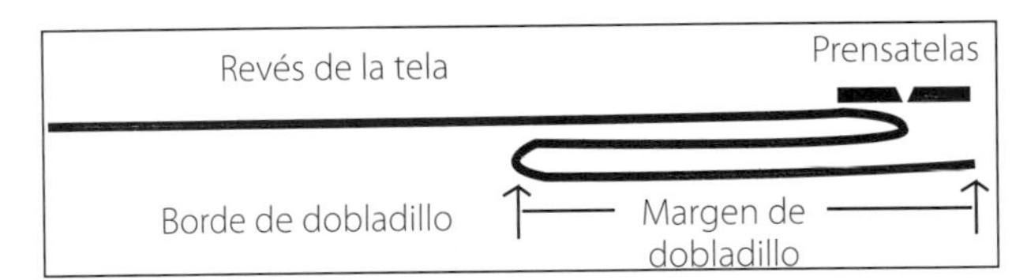

Para empezar, sobrehíle el borde de la tela. Doble la tela por el borde de dobladillo (= longitud final del dobladillo) y plánchelo. Entonces pliegue el borde de dobladillo como un acordeón hacia el derecho de la tela, de modo que el borde sobrehilado asome unos 0,5 cm por el borde de doblez que se ha formado. Coloque el prensatelas sobre el revés de la tela, para que quede centrado a lo largo del doblez. Con la puntada de lado ajustada en la máquina, esta coserá varias puntadas rectas en el margen de dobladillo y una puntada zigzag hacia el doblez que solo tomará un par de hilos de la tela superior a lo largo del borde de doblez (*véase* la página 26).

Dobladillo pespunteado

El dobladillo pespunteado da a la prenda un aspecto deportivo. Planche el margen de dobladillo por el revés, remeta el borde de la tela 1 cm y planche de nuevo. Pase un pespunte por el dobladillo.

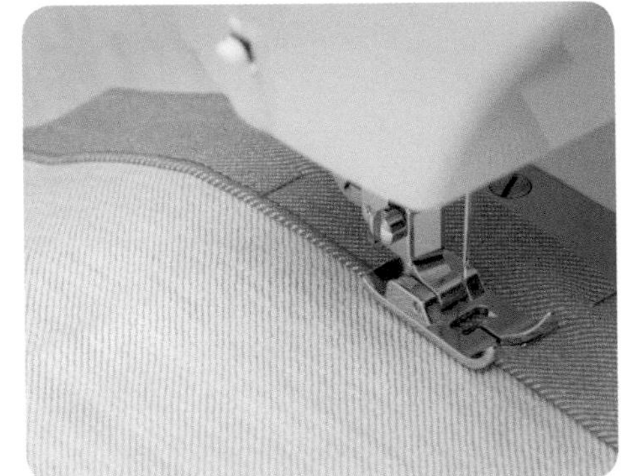

Si el margen de dobladillo es muy estrecho, sobrehíle el borde de la tela con puntada zigzag o córtelo con la tijera dentada (*véase* la página 34). Doble el borde de la tela (el margen de dobladillo debe ser de 0,75 cm al menos), y pase un pespunte tomando como referencia el ancho del prensatelas (0,5 cm desde el borde de la tela).

Dobladillo curvado

En una falda con vuelo, por ejemplo, se debe ir embebiendo a medida que se toma el dobladillo.

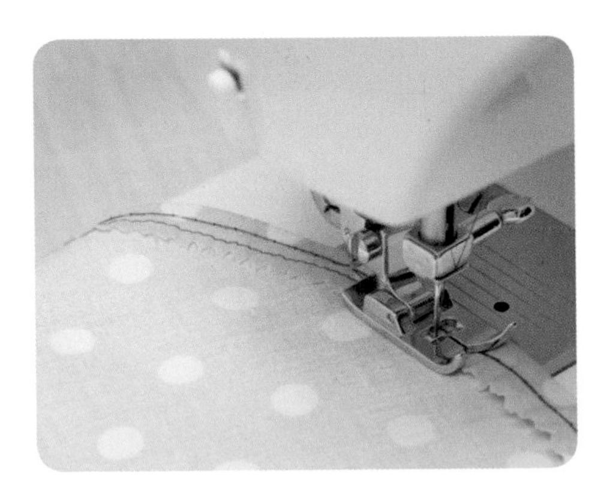

Pase un hilván (*véase* la página 31) a 0,5 cm de distancia del borde de la tela sobrehilado. Pliegue el dobladillo y plánchelo. Tire del hilván para embeber la tela hasta que se haya reducido el flojo.

Distribúyalo uniformemente repartiendo la tela a lo largo del hilván. Planche el flojo desde el borde de la tela; se formarán pequeñas arrugas. Cosa el dobladillo a mano o a máquina (*véanse* las páginas 24 y 36). Por último, retire el hilván.

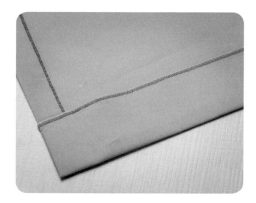

Pulir esquinas

Para pulir las esquinas de los dobladillos de ciertas prendas, como camisas o chaquetas, se procede de la siguiente manera. Remate el borde de los dobladillos horizontal y vertical. Pliegue el margen de dobladillo, derecho sobre derecho, como se muestra. Pespuntee el dobladillo a lo largo de la línea de costura del borde delantero, desde el borde del pliegue hacia arriba. Planche la costura, recorte el margen de costura en la esquina dejando 2 mm y vuelva la esquina del derecho. Dele forma y plánchela.

Proyecto de costura: una diadema a partir de una corbata

Corte una pieza de 30 cm de largo de la parte estrecha de la corbata (sin descoser tiene 3 cm de ancho). Corte la parte ancha de la corbata en el lugar en que hace 4,5 cm de ancho. Mida 31 cm y corte de nuevo. En el lugar más ancho, la pieza cortada debería tener 5 o 6 cm de ancho. Deshaga la costura trasera de los dos trozos de corbata. Quite el relleno del trozo estrecho de corbata. Doble también los lados cortos 4,5 cm hacia dentro y plánchelos. Cosa de nuevo la costura trasera con pequeños puntos a mano. Pase la cinta de goma ayudándose de un imperdible. Fije ambas cintas de goma con la máquina de coser. Quite el relleno del trozo ancho de corbata y dóblela centrada por el punto más ancho. Corte y encauce los bordes largos de modo que los lados cortos midan 4,5 cm de ancho. Vuelva a poner el relleno estrecho y el grueso sobre la corbata. A continuación, envuelva la corbata y el relleno estrecho alrededor del relleno grueso y plánchelo. Doble hacia dentro el borde de la seda que queda encima. Centre la cinta de goma forrada, encarando los derechos, sobre los lados cortos de la parte delantera, dejando la parte trasera doblada hacia un lado. A continuación, cosa a máquina 1 cm de la cinta elástica forrada a la corbata. Después, vuelva a poner el trasero en la forma planchada de la corbata. Cierre la parte trasera cosiendo a mano, doblando hacia dentro el final de la cinta de goma y el margen de costura. (Idea/realización: Rabea Rauer e Yvonne Reidelbach)

Planchar en lugar de coser

Si se ha descosido el dobladillo y tiene prisa, ponga cinta de doble cara para dobladillos entre el revés de la tela y el sobrante del dobladillo. Plánchelo y ya lo tiene arreglado.

Esquina en diagonal

En tejidos gruesos las esquinas del dobladillo se pulen en diagonal, ya que se recortará el margen de costura. El ángulo de costura de la esquina depende de la anchura de los márgenes de costura.

1 Doble ambos bordes de dobladillo en la esquina, encarando los reveses, y planche las esquinas. Mantenga un dobladillo plegado y el otro abierto.

En el margen de dobladillo del dobladillo abierto, marque con jaboncillo el ancho del dobladillo plegado. A continuación, vuelva a plegar el dobladillo abierto.

2 Marque, como ha hecho anteriormente, la anchura del segundo dobladillo sobre el margen de dobladillo sobre el que reposa y vuelva a abrir este dobladillo.

3 Una los extremos de las marcas en los bordes de corte con una línea que transcurrirá a lo largo de la esquina planchada.

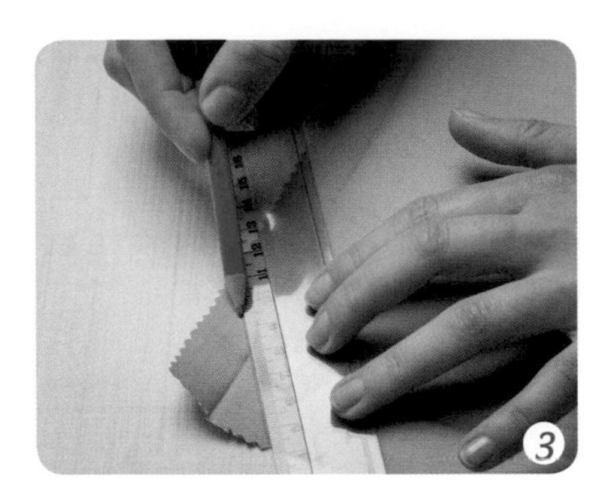

4 Coloque los bordes de dobladillo uno encima del otro encarando los derechos, de modo que la línea oblicua marcada desde la esquina planchada coincida. Pase un pespunte por la línea marcada desde la esquina hasta el borde de la tela. Recorte los márgenes de costura, dejando 0,5 cm de distancia hasta la costura y en la esquina en diagonal. Planche los márgenes de costura abiertos.

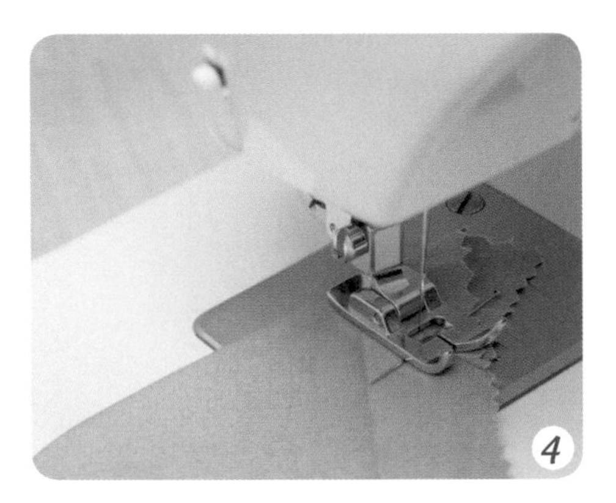

5 Vuelva la esquina del derecho. Dele forma y plánchela de nuevo.

Cuellos y escotes

El tipo de cuello o escote determina en buen grado el estilo de una prenda de ropa. La gran diversidad de formas de cuello que existen se reduce en la confección básicamente a si se trata de un cuello solapa o no.

Cuello redondo

Un cuello solapa se puede cortar recto o ligeramente redondeado. Si se corta recto, el cuello solapa quedará un poco alzado; sin embargo, si se corta curvado, se adaptará a la perfección al contorno del cuello. Si el cuello lleva tirilla, esta debe tener la anchura de la tapeta de botones.

1 Corte el cuello en dos piezas de tela; no olvide señalar en la tela las marcas de montaje del patrón. Planche en la parte interior del cuello una entretela del mismo tamaño por el revés. Luego pliegue hacia dentro el borde inferior de la pieza interior del cuello, al tamaño del margen de costura, y plánchelo. Hilvane el pliegue muy cerca del canto del doblez.

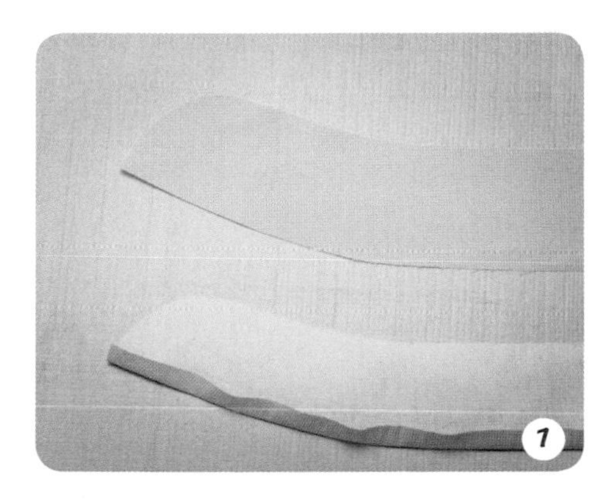

2 Encare los derechos de las dos piezas del cuello. Pespuntee los lados más estrechos y el borde superior del cuello con puntadas pequeñas, pero deje los márgenes de costura abiertos al principio y al final. A continuación, recorte los márgenes de costura a 0,5 cm de distancia de la costura; practique en las curvas algunos cortes pero sin llegar a la costura. Plánchela.

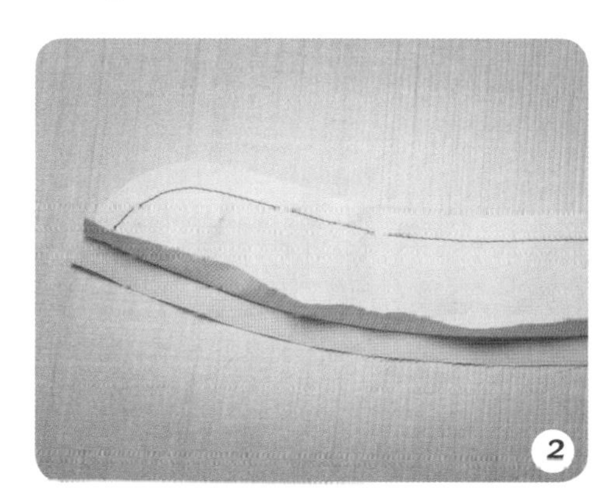

3 Ponga el cuello del derecho y dé forma a las curvas para que queden simétricas. Planche el cuello por la línea de costura de modo que por ninguno de los lados se vea tela del otro lado.

4 Prenda con alfileres el borde exterior del cuello al escote encarando los derechos. Las marcas en el centro interior y exterior así como en las costuras del hombro deben coincidir. Entonces, cosa el cuello al escote. A continuación, planche los márgenes de costura en el cuello.

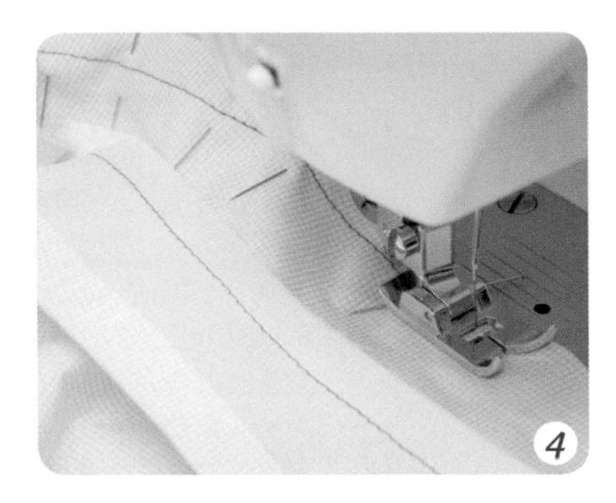

5 Monte el borde del cuello interior en la línea de costura y préndalo con alfileres. Ahora cósalo a mano, si lo prefiere, o bien a máquina.

Si trabaja con la máquina de coser, cósalo por el derecho con una costura fina o sobre la línea de costura.

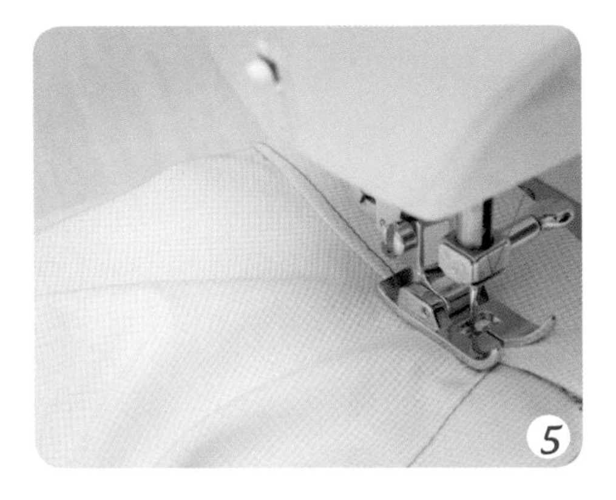

Cuello camisero

Es el cuello típico de las camisas de caballero.

1 Corte las dos piezas de tela para el cuello y para la tirilla y, si se indica en las instrucciones, también la entretela. Planche esta última sobre el revés de las piezas de tela.

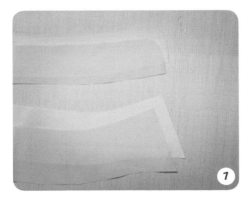

2 Encare ahora los derechos de las piezas del cuello y cósalas con un pespunte a lo largo del borde lateral y del borde exterior del cuello. Recorte los márgenes de costura a 0,5 cm de distancia de la costura; en las curvas practique algunos cortes sin llegar a la costura, y en las esquinas haga cortes oblicuos. Planche la costura y vuelva el cuello del derecho. Dé forma al cuello, sobrehílelo y plánchelo; si lo desea, también puede pasar un pespunte muy cerca del borde de la costura.

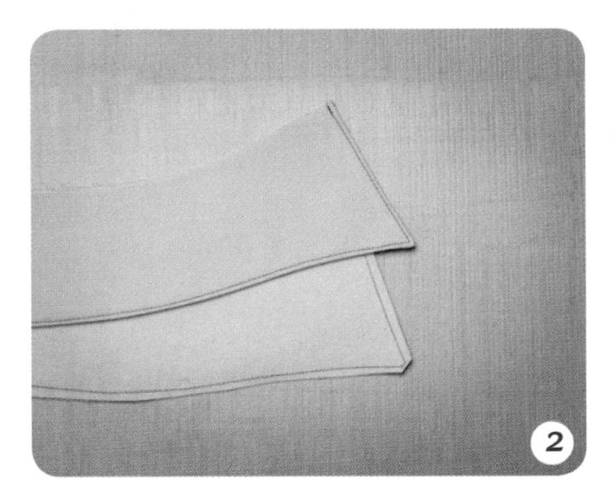

3 Encare ahora los derechos de la tirilla y coloque el cuello entre ambas piezas de tela de modo que todos los bordes queden superpuestos. Tenga en cuenta las marcas de montaje de las piezas de tela. Pase un pespunte por los lados estrechos de la tirilla y por el lado largo, de este modo el cuello quedará cosido a la tirilla. Recorte ahora los márgenes de costura como ha hecho antes, vuelva la tirilla del derecho y plánchela.

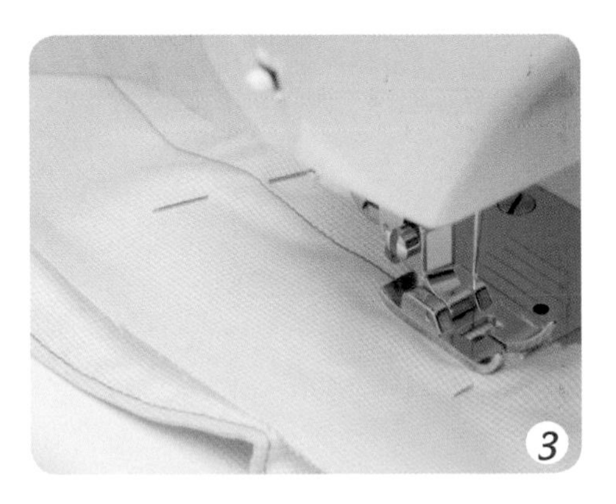

4 Planche el borde inferior de la pieza interior de la tirilla a lo largo de la línea de costura hacia la izquierda. A continuación, siga los pasos 4 y 5 del cuello solapa (*véanse* las páginas 39 y ss.).

Cuello bobo con cinta al bies

Este cuello, también conocido como cuello bebé, va directamente cosido al escote y se fija a él con una cinta al bies.

1 Corte al bies (*véase* la página. 23) una tira de tela de 3 cm de ancho y del largo del contorno del escote más 3 cm. Corte las piezas del cuello y la entretela y fije esta con la plancha. Encare los derechos de las dos piezas del cuello y pespuntee los lados y la costura exterior. Haga cortes verticales en las curvas de los márgenes de costura y recórtelos en las esquinas. Planche el cuello, vuélvalo del derecho, hilvane los bordes y plánchelo.

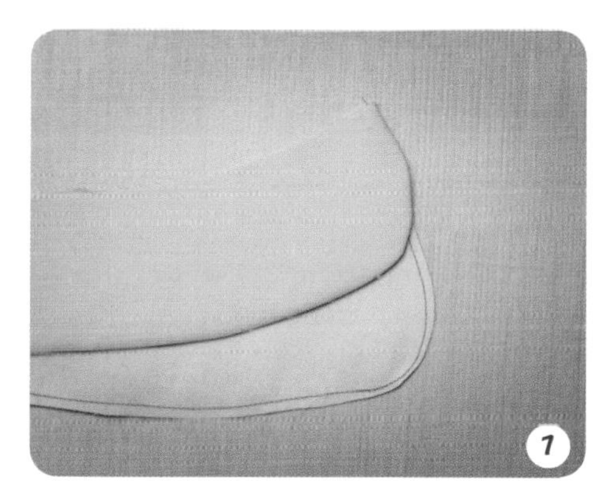

1

2 Una ambas piezas del cuello por los extremos con un hilván.

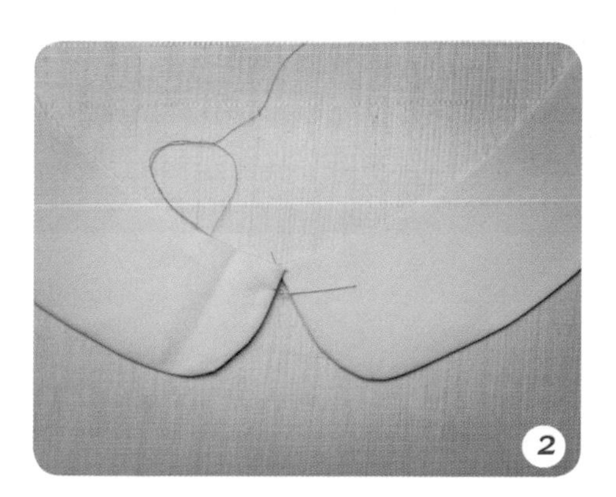

2

Escote sin cuello

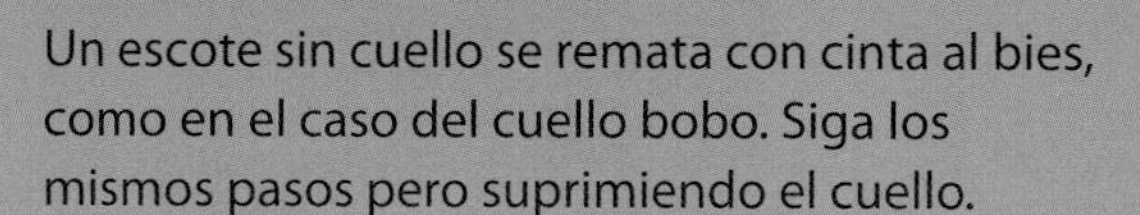

Un escote sin cuello se remata con cinta al bies, como en el caso del cuello bobo. Siga los mismos pasos pero suprimiendo el cuello.

3 Disponga el cuello sobre el derecho del escote y coloque encima la cinta al bies encarando los derechos; doble hacia dentro los extremos 1 cm. Prenda con alfileres, hilvane y pase un pespunte.

4 Recorte los márgenes de costura del cuello dejando 0,5 cm y practique cortes en las curvas. Pliegue la cinta al bies con los márgenes de costura hacia dentro.

Prenda con alfileres, hilvane y pase un pespunte. Levante el cuello y pase un pespunte por la cinta al bies muy cerca de la costura del principio del cuello.

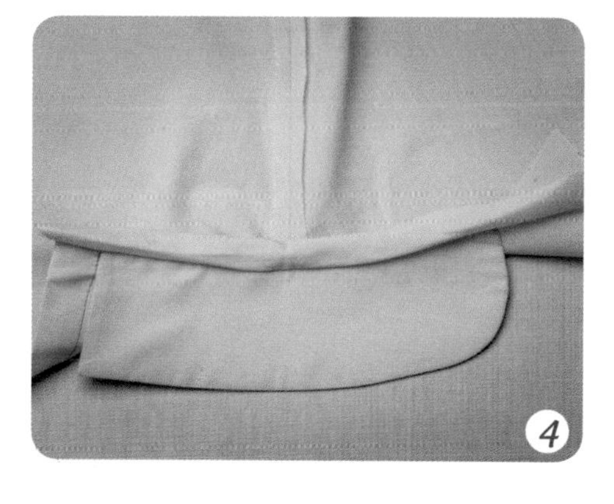

4

Vista

La vista se cose en el borde del escote y suele presentarse como una pieza aparte en el patrón.

1 Si lo considera necesario, planche una entretela sobre la vista. Cierre las costuras del hombro de la vista y de la pieza anterior y posterior de la prenda; remate los márgenes de costura y plánchelos abiertos. Prenda la vista al escote con alfileres encarando los derechos. Las marcas de montaje, así como las costuras del hombro, de la vista y de la prenda deben coincidir exactamente. Pase un pespunte por la vista con el ancho del margen de costura.

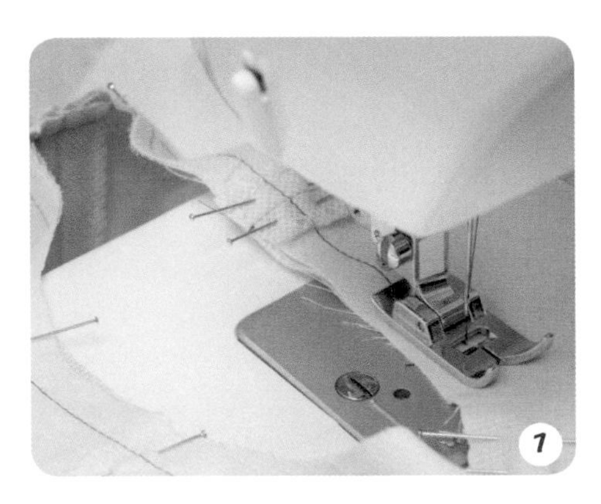

2 Planche la costura, recorte los márgenes de costura dejando 0,5 cm y practique varios cortes en las curvas. Vuelva la vista del revés, hilvane el borde y plánchelo. A continuación, pase un pespunte por la vista, a poca distancia del borde, y sobrehíle los bordes de la vista.

Si desea que no se vea ningún pespunte por el derecho, pase una costura de refuerzo: pespuntee los márgenes de costura de la vista y del escote, al lado del borde de la costura de unión sobre la vista.

Vista sin cortar

Este tipo de vista es una prolongación de la pieza del patrón que, una vez cortada esta, se pliega hacia el interior en la parte delantera de, por ejemplo, una blusa. Para rematar el escote, se suele cortar una vista aparte que se cose en la pieza trasera de la blusa.

1 Cierre las costuras del hombro de la prenda y las de la vista de la pieza delantera y de la pieza trasera. Sobrehíle los márgenes de costura y plánchelos abiertos. Prenda la vista con alfileres desde el borde delantero, derecho sobre derecho, encima del escote y pase un hilván. Tenga en cuenta las marcas de montaje: las costuras del hombro de la vista y de la prenda deben coincidir.

2 Pespuntee la vista, con el ancho del margen de costura, a lo largo del escote desde la parte delantera, pasando por la parte trasera hasta llegar a la parte delantera opuesta. Planche las costuras y recorte los márgenes de costura dejando 0,5 cm, practique varios cortes verticales en las curvas y con un ángulo de 45º en las esquinas. Sobrehíle los bordes inferiores de la vista y vuélvala del revés. Forme bien los bordes, hilvánelos y plánchelos. Pase un pespunte por el derecho o bien una costura de refuerzo por el revés (*véase* la página 42) para fijar la vista.

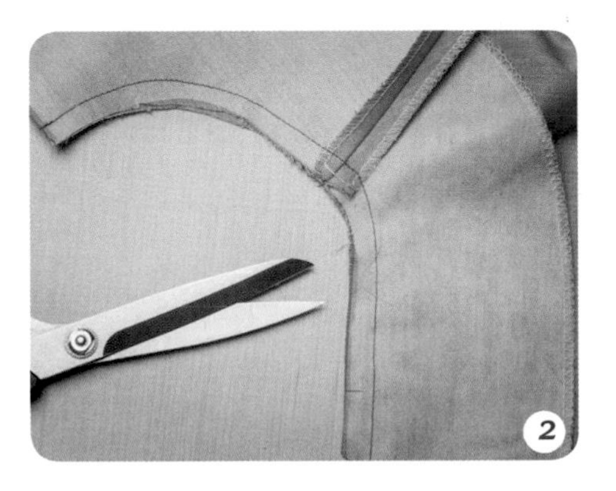

Escote con tapeta abierta

1 Prepare las tiras para la tapeta con entretela. Remate el escote con la vista o cinta al bies y con el cuello, si lleva. Prenda con alfileres e hilvane ambas tapetas por los bordes de la pieza delantera de la prenda; los márgenes de costura deben sobresalir por arriba y abrirse por abajo. Planche las costuras y doble las tapetas hacia el centro sobre los márgenes de costura; plánchelas.

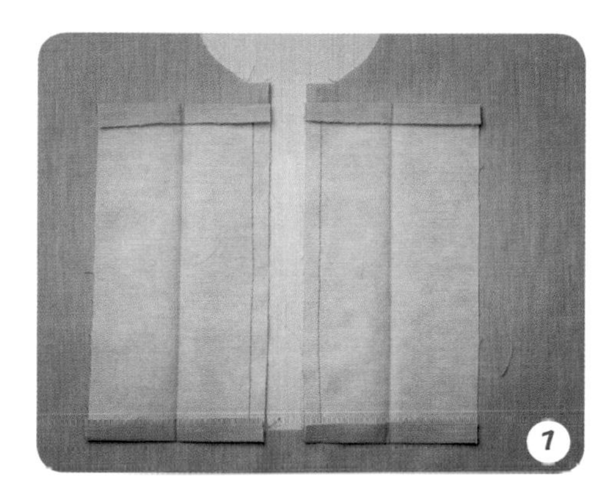

2 Pliegue las tapetas, derecho sobre derecho, y pase un pespunte por los cantos superiores; en la tapeta derecha trace también un pespunte por el canto inferior. Recorte los márgenes de costura y plánchelos; vuelva las tapetas y plánchelas de nuevo. Practique un corte oblicuo en la parte delantera de las esquinas inferiores hasta la costura de unión. Pliegue el margen de costura de la tapeta izquierda por el borde largo, préndalo bajo la costura de unión, hilvánelo y plánchelo. Pase un pespunte por el derecho de la tapeta muy cerca del borde o sobre la costura de unión.

Coloque el canto transversal inferior sobre el canto inferior del escote, encarando los derechos, y pase un pespunte de una esquina hasta la otra. Sobrehíle los márgenes de costura juntos y plánchelos por el revés hacia abajo.

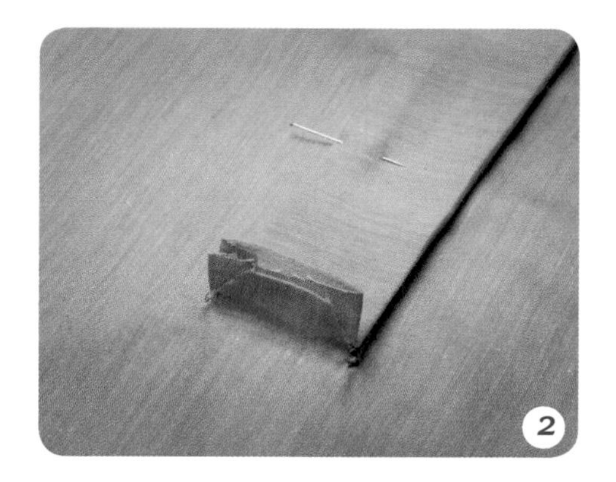

3 Doble hacia dentro el margen de costura del borde vertical de la tapeta, hilvánelo y plánchelo. Préndalo por debajo de la costura de unión. Para terminar, pase un pespunte por el derecho, alrededor de toda la tapeta derecha.

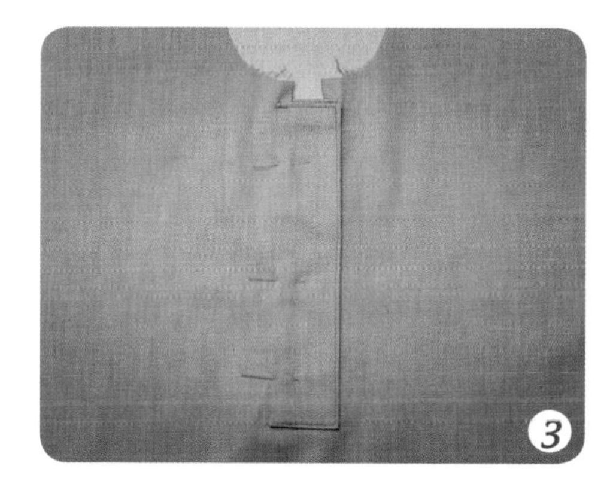

Agujas desafiladas

Los signos claros de que la aguja ha perdido el filo o se ha doblado son que queden algunos puntos sin hacer, o que la aguja tire del hilo de la trama. La única solución es cambiar la aguja vieja por una nueva. La prueba de las medias sirve para determinar si la aguja mantiene el filo: pinche unas medias viejas con la aguja. Si la aguja tira de los hilos, ¡a la basura con ella!

Mangas

Las mangas de una prenda pueden ser cortas o largas, anchas o estrechas, con puño o sin él. A continuación le explicamos las diferentes maneras de coser una manga a la sisa y de trabajar los dobladillos o los puños.

Rematar mangas

Las mangas siempre se deben coser respetando el siguiente orden: en primer lugar, se deben unir la abertura de la manga y el puño, después ha de cerrarse la manga y, por último, esta se debe montar en la sisa.

Mangas con jareta

Coloque los bordes largos de la manga encarando los derechos y pase un pespunte con el ancho del margen de costura. Sobrehíle los márgenes de costura y plánchelos abiertos. Planche el borde de la manga por el revés a lo largo de la línea de dobladillo. Doble el borde de corte hacia dentro unos 0,7-1 cm, plánchelo y préndalo con alfileres. Pase un pespunte por el dobladillo, a 1-2 mm del borde del doblez, dejando una abertura a la altura de la costura de la manga para introducir la cinta elástica. Pásela por la jareta con un imperdible y cosa los extremos de la cinta. La longitud de esta debe corresponder al contorno de la muñeca más 4 cm. Cierre la abertura con unas puntadas.

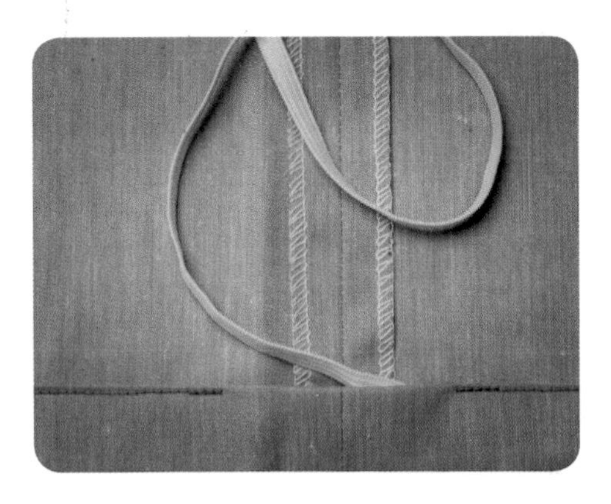

Abertura de manga pulida

La manga debe llevar una abertura cuando se le va a montar un puño. La anchura de la manga queda fruncida en el puño, y es necesario que presente dicha abertura para que se pueda pasar la mano por ella sin dificultad.

1 Corte un rectángulo de tela de 6 cm de ancho y de la longitud de la abertura de la manga más 2,5 cm. Sobrehíle los bordes del rectángulo de tela y dibuje la abertura de la manga centrada. Prenda la pieza de tela en la manga con alfileres; el borde inferior del rectángulo debe coincidir con el borde de la manga. Luego pase un pespunte alrededor de la abertura dibujada, a 3 mm de distancia, con una longitud de puntada de 1,5-2 mm.

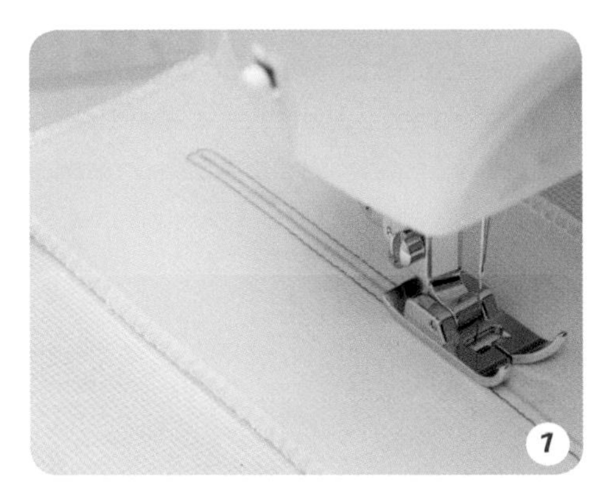

2 Corte a lo largo de la marca dibujada, en dirección al vértice en un ángulo de 45º hasta poco antes de llegar a la costura. Planche esta y doble hacia dentro la tela cosida hasta que quede plana por el interior de la manga. Hilvane los bordes de costura de la abertura y plánchelos.

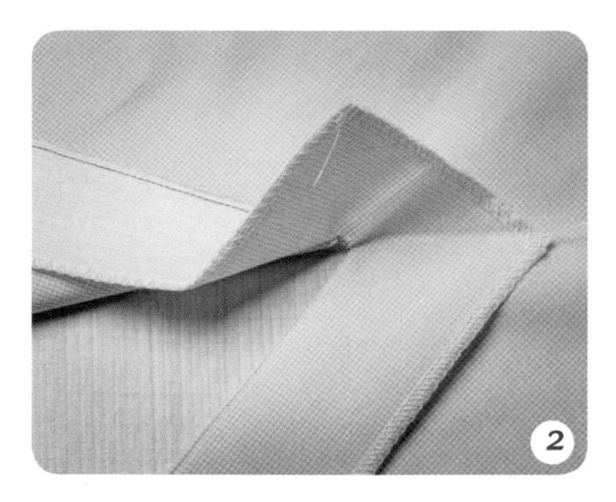

3 Planche los bordes de la abertura sin que se vea la tela cosida por el derecho. Pase un pespunte alrededor de la abertura a 1-2 mm del borde de costura.

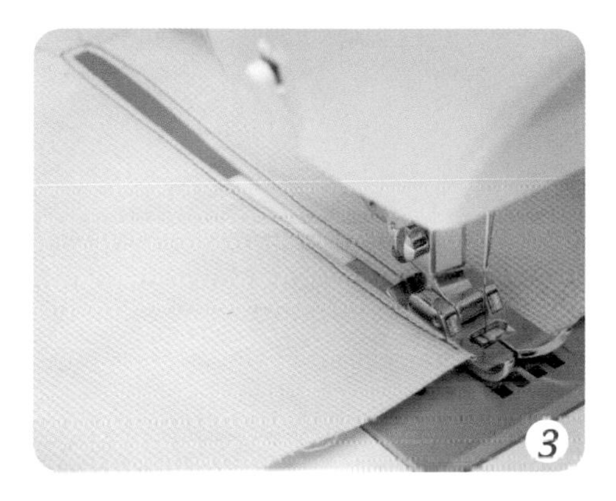

Abertura de manga rematada

1 Corte para cada manga una tira de tela de unos 3 cm de ancho y cuya longitud corresponda al doble del largo de la abertura de la manga más 2,5 cm. Doble ambos lados largos de las tiras 0,5 cm hacia dentro. Desdoble el corte hasta formar una línea recta.

Abra el doblez de uno de los lados de la tira y préndalo con alfileres a lo largo de la abertura de la manga encarando los derechos. Pase un pespunte a lo largo del borde de doblez de la tira. Tenga cuidado de que no se formen arrugas en el vértice de la abertura.

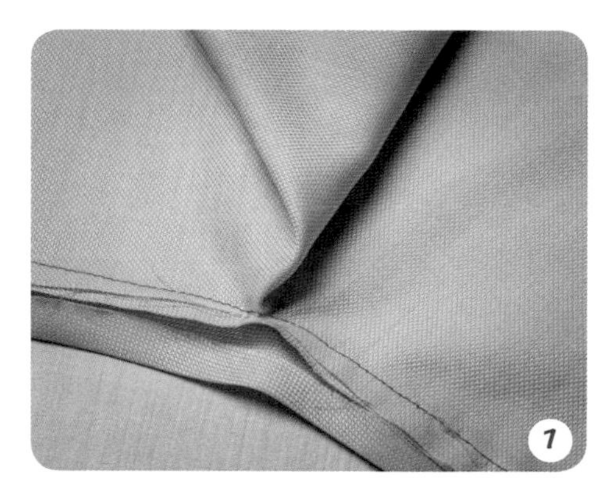

2 Planche los márgenes de costura en la tira. Pliegue esta del revés de manera que el borde del doblez contrario quede justo encima de la costura de unión. Prenda la tira con alfileres y pase otro pespunte lo más cerca posible del borde de doblez.

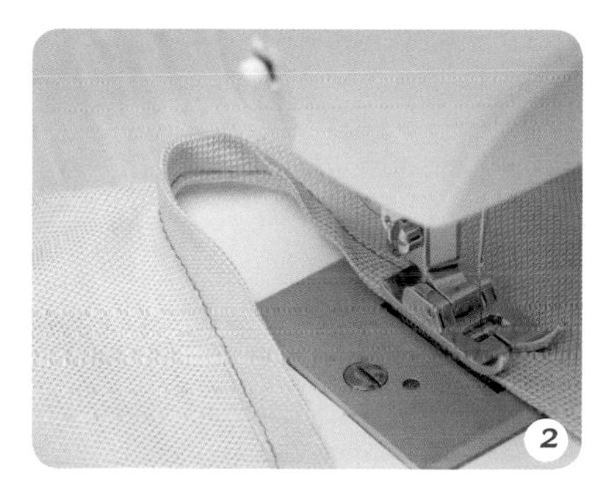

3 Ahora coloque la abertura en su posición original; la manga está del revés y las tiras de la abertura de la manga, con los derechos encarados. Entonces pase un pespunte oblicuo, desde el vértice de la abertura de la manga, para rematar la tira. Asegure el final de las costuras.

Puños con botones

Los puños de blusas y camisas deben llevar una prolongación: por un lado, para poder hacer los ojales y, por el otro, para poder coser los botones. Antes de unir el puño a la manga se debe reducir la anchura de esta última.

Una forma de hacerlo es embebiendo (*véase* la página 31) tal y como se indique en las instrucciones; la otra es recogiendo la tela en pliegues (*véase* la página 50).

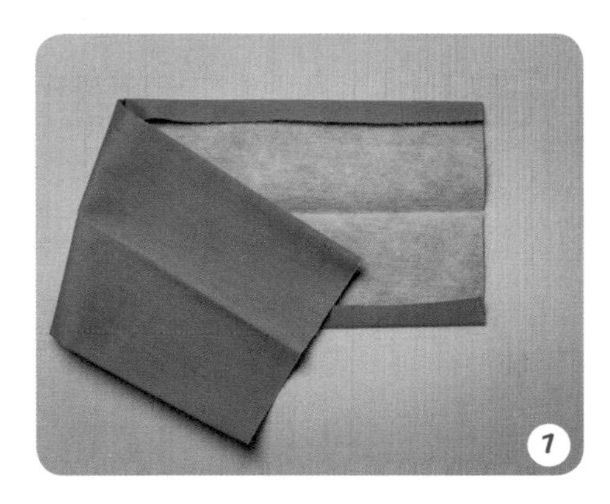

1 En primer lugar, prepare los puños con la entretela. Planche los márgenes de costura de los bordes largos de los puños por el revés; después, ponga juntos los bordes de doblez y vuelva a planchar.

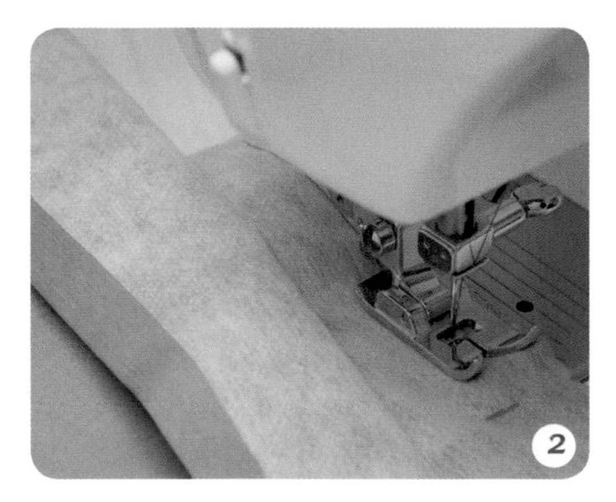

2 Prenda con alfileres el puño al borde de la manga encarando los derechos; tenga en cuenta las marcas interiores del patrón que le indican dónde va el botón y dónde el ojal. Pase un pespunte para coser el puño a la manga y planche los márgenes de costura del puño.

3 Remate los bordes laterales del puño: doble el puño encarando los derechos de la tela; los márgenes de costura estarán doblados hacia dentro. Superponga los márgenes de costura y páseles un pespunte. Recorte los márgenes de costura dejando 0,5 cm y en diagonal en las esquinas. Planche las costuras.

4 Ponga el puño del derecho y dé forma a las esquinas. Planche el borde del puño. Prenda el borde interior del puño por el revés de la manga con alfileres y luego pase un hilván. Cosa el borde a mano por el interior, o bien pase un pespunte por el borde del puño por el derecho.

A continuación, haga el ojal y cosa el botón en los lados correspondientes.

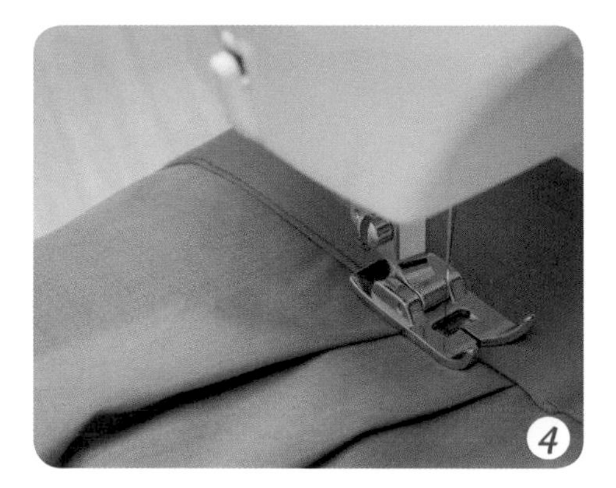

Montar mangas

Para que una manga quede bien montada y no forme arrugas se deben respetar las siguientes reglas:

- Las marcas de montaje de la manga y del borde de la sisa deben coincidir perfectamente.
- Las costuras de la manga y de la sisa deben quedar exactamente a la misma altura.
- La marca que indica el centro de la copa de la manga debe quedar a la altura de la costura del hombro.

1 Pase dos hilvanes entre la línea de costura y el borde de corte entre los puntos marcados y deje colgar los hilos unos 10 cm. Doble la manga encarando los derechos, prenda las costuras con alfileres y cósalas con pespuntes. Sobrehíle los márgenes de costura y plánchelos abiertos.

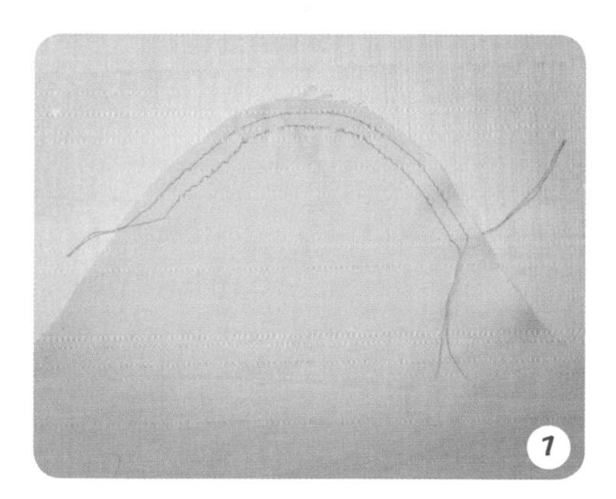

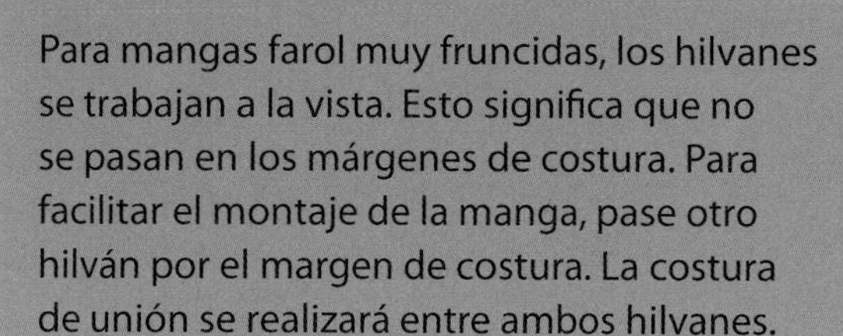

Hilvanes visibles

Para mangas farol muy fruncidas, los hilvanes se trabajan a la vista. Esto significa que no se pasan en los márgenes de costura. Para facilitar el montaje de la manga, pase otro hilván por el margen de costura. La costura de unión se realizará entre ambos hilvanes.

2 Prenda la manga a la sisa con alfileres encarando los derechos. Pase un hilván por el lado de la manga; tenga en cuenta las marcas de montaje. Entonces pase un pespunte, también desde el lado de la manga, para coser esta a la sisa. En caso de que se deba embeber el flojo entre los dos hilvanes, procure que no quede ninguna arruga a la altura de la copa de la manga. Sobrehíle los márgenes de costura juntos y plánchelos como se indique en las instrucciones.

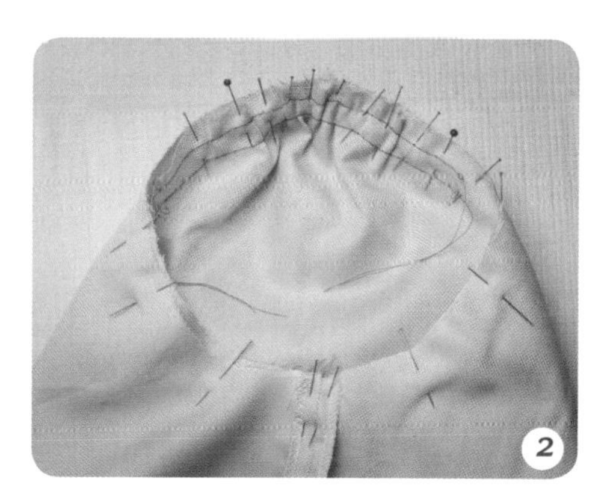

Cinturillas

Ya sea en una falda o en un pantalón, la cinturilla resulta imprescindible. Por lo general, se trata de una pretina rígida en cuyos extremos se colocan los ojales y los botones. No obstante, en las prendas que deben ser cómodas de llevar se suele aplicar una cinturilla elástica o una jareta con elástico en el interior.

Pretina recta

La fliselina con líneas perforadas es muy práctica como entretela, ya que los agujeritos sirven de guía para la costura de unión y los márgenes de costura. Generalmente se puede adquirir en anchos de 25, 30 o 35 mm.

La pretina debe sobresalir unos 2 cm por ambos lados. En uno de sus extremos se coserá el botón y en el otro, el ojal.

1 Corte la pretina en la longitud requerida, teniendo en cuenta los centímetros extra para botones y ojales; el ancho debe ser el de la entretela escogida. Planche esta en el revés de la tela.

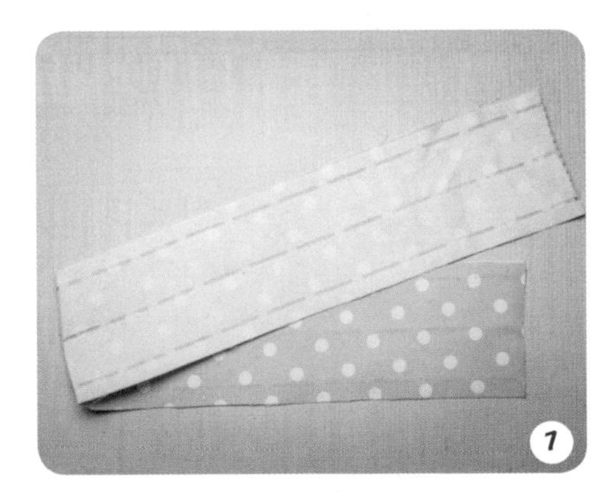

2 Señale en la pretina las marcas de montaje de las costuras laterales y del centro de las partes trasera y delantera. Prenda la pretina con alfileres en el borde de la cintura de la falda o pantalón encarando los derechos; las marcas de montaje deben coincidir con las costuras. Cosa la pretina con un pespunte a lo largo de la línea perforada de la entretela. Planche los márgenes de costura hacia la cinturilla y también el margen de costura opuesto del borde largo hacia el revés de la prenda.

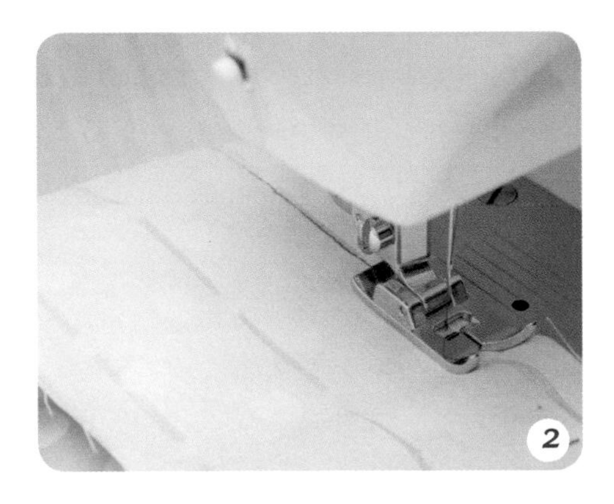

3 Superponga la pretina encarando los derechos y con los márgenes de costura abiertos. Remate los extremos de la pretina con un pespunte de 1 cm y recorte los márgenes de costura en las esquinas con un corte oblicuo.

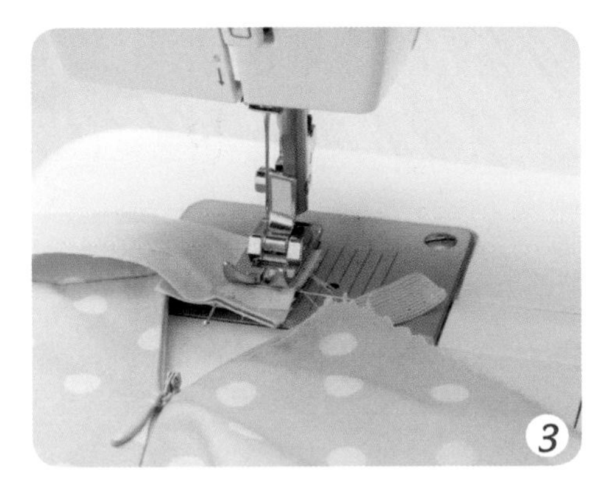

4 Dele la vuelta a la pretina y plánchela. Préndala a lo largo de la costura de unión con alfileres, y a continuación pase un pespunte a poca distancia del borde de doblez. Si lo prefiere, puede coserla a mano.

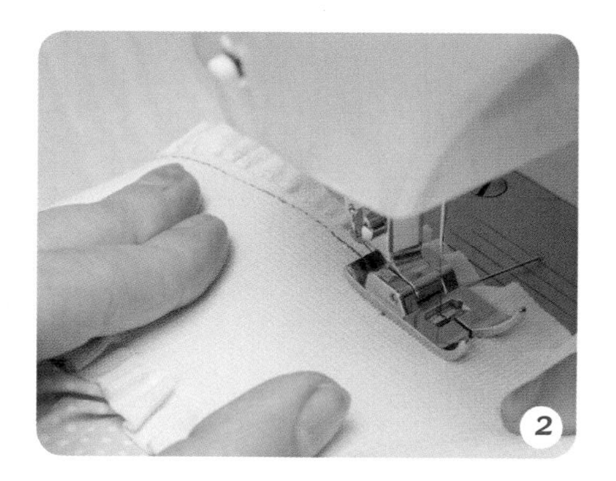

Cinturilla elástica

Existen cinturillas elásticas de punto para mangas y cinturas listas para coser, pero también puede confeccionarlas usted mismo.

1 Junte los extremos de la cinturilla elástica abierta y cósalos con una costura de 1 cm de ancho. Planche con cuidado los márgenes de costura abiertos. Marque con alfileres el centro de las partes trasera y delantera de la cintura de la prenda, así como la ubicación de las costuras laterales en la cinturilla; estas se obtienen dividiendo la anchura en cuatro partes. Prenda la cinturilla en la falda o el pantalón encarando los derechos; tenga en cuenta las marcas de las costuras.

2 Pase un pespunte por la cinturilla elástica con punto recto. A medida que trace el pespunte vaya estirando la cinturilla entre las marcas de modo que el flojo de la tela que está debajo quede estirado. Doble la cinturilla hacia el revés de la prenda y el borde hacia dentro para que los márgenes de costura de la cinturilla queden escondidos. Préndala con alfileres y pásele un pespunte por el derecho estirándola bien a medida que cose.

Jareta con cinta elástica

Las jaretas aportan comodidad, por lo que se suelen aplicar a prendas deportivas o de estar por casa. En la jareta se puede introducir un elástico o bien una cinta de tela o un cordón, cuyos extremos quedarán sueltos en el exterior de la prenda para poder ser anudados.

1 Confeccione una jareta como ha hecho para la manga (*véase* la página 44).

2 Para una jareta con cinta o cordón que se deba atar delante de la prenda, deje una abertura aproximada de 1 cm de ancho en el centro de la costura delantera de la jareta, o bien abra dos pequeños ojales verticales a los lados de la costura.

3 En caso de que haya confeccionado varias jaretas, una al lado de la otra, pase los elásticos empezando por arriba y cierre las aberturas de las costuras con puntadas a mano.

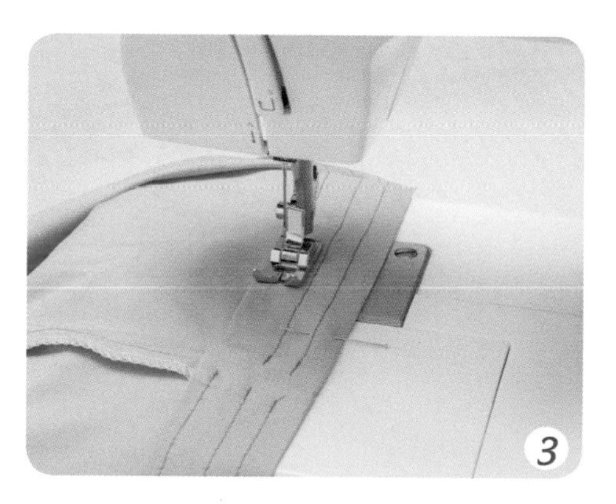

Pinzas y pliegues

Con las pinzas se ajustan prendas de ropa a las curvas del cuerpo, como la cintura, el pecho o las caderas. Con los pliegues se reduce el flojo, que se necesita en la cadera, para poder adaptarlo así al ancho de la cintura.

Pinzas

1 Superponga las marcas de la pinza encarando los derechos y sujete las capas de tela con alfileres. Pase un pespunte en dirección al vértice.

La costura debe terminar bien definida. Asegúrela bien en ambos extremos con un par de puntos atrás y deje colgar los hilos unos 10 cm en el extremo del vértice.

2 Por seguridad, anude los cabos de los hilos al vértice de la pinza. Para ello, clave una aguja en la punta de la pinza y anude bien los hilos alrededor de la aguja. Entonces, corte los hilos lo más cerca posible del nudo, y después retire la aguja.

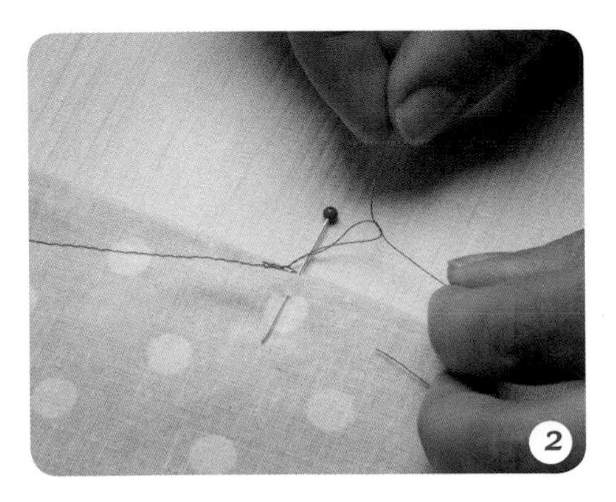

3 Planche la pinza por el revés en dirección al vértice. A continuación, planche la pinza por el derecho de la prenda. En general, las pinzas verticales que se planchan hacia un lado deben apuntar siempre en dirección al medio del cuerpo; las horizontales, hacia abajo.

Pliegues

Encontramos pliegues en faldas, pantalones, puños y a veces también en lugar de pinzas. Existen diferentes tipos de pliegues, pero cualquiera de ellos siempre tiene un borde exterior (X) y una línea de apoyo (O) sobre la que reposará el borde exterior. La distancia entre ambas líneas es la profundidad del pliegue. En el centro de la profundidad del pliegue se encuentra el borde interior. Marque las líneas de los pliegues en la tela con el piquetero.

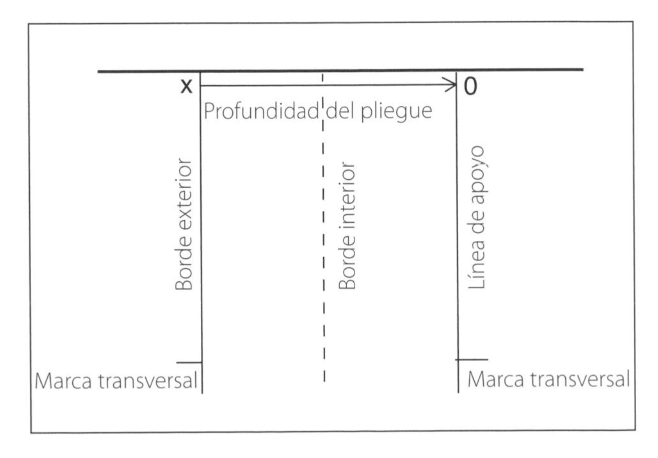

En las faldas siempre se debe planchar primero el dobladillo y después los pliegues. Así ahorrará mucho tiempo.

Pliegues planos

1 Coloque X sobre 0 encarando los derechos y pespuntee el pliegue por el revés hasta la marca transversal. Planche la costura.

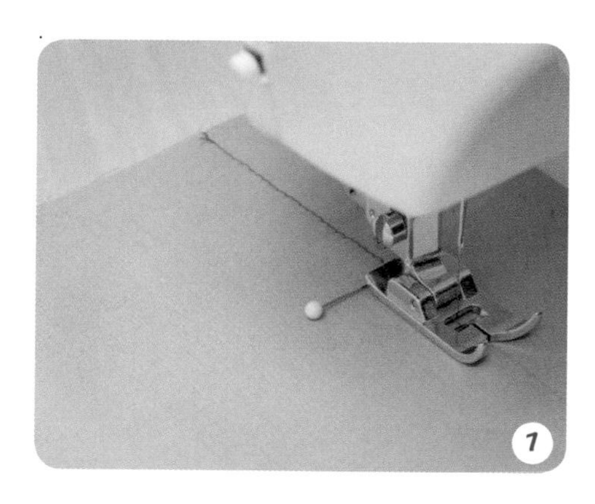

2 Siga elaborando pliegues de este modo unos al lado de otros, perpendiculares a la cintura o bien oblicuos. También puede pasarles un pespunte por el derecho de la tela hasta la marca transversal (*véase* el esquema de la página 50). Planche los pliegues hacia un lado.

Tablas

Las tablas se forman doblando en sentido opuesto dos pliegues planos, cuyos bordes exteriores se tocan en el revés de la prenda. Coloque en ambos lados X sobre O, los bordes interiores se tocan en el centro por debajo de la parte superior del pliegue. Pespuntee la línea de apoyo de los bordes interiores por el revés y planche las líneas de los pliegues. También puede pespuntear las tablas por el derecho con un triángulo o una costura oblicua.

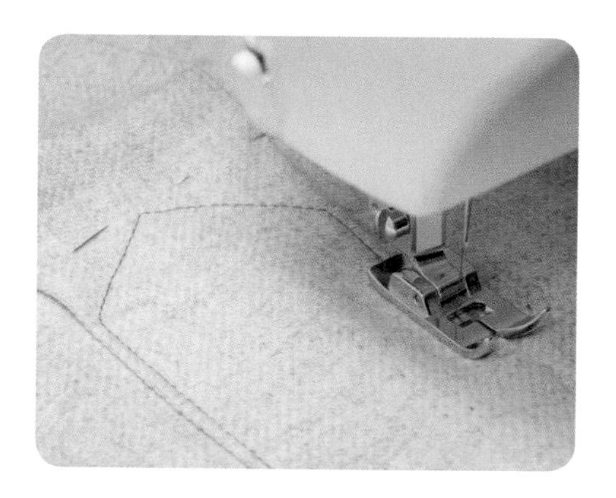

Pliegues encarados o pliegue hundido

Como ya indica su nombre, se trata de dos pliegues planos encarados.

Coloque ambas líneas X sobre O, hilvane los pliegues y plánchelos. Pespuntee el pliegue por el revés hasta la marca transversal y asegure el final de la costura. Planche los bordes de los pliegues. Si lo desea, puede pasarles un pespunte cerca del borde por el derecho, empezando a la altura de la marca transversal y siguiendo la línea de costura perpendicular o en ángulo recto a esta. O puede pespuntear los bordes de los pliegues hasta el dobladillo, así quedarán fijos de forma duradera.

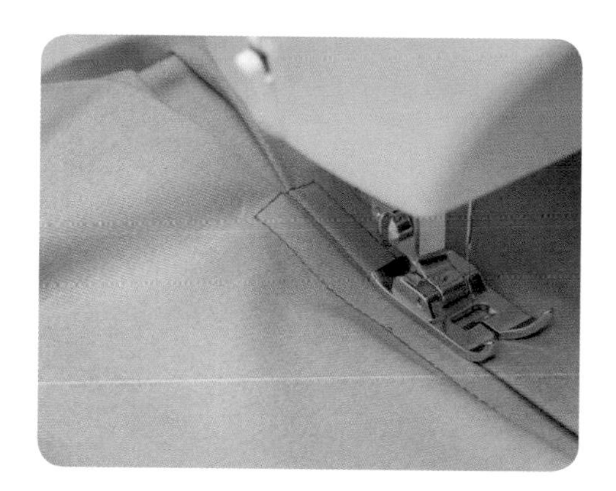

Bolsillos

En los bosillos guardamos pequeños objetos, pero en ocasiones estas partes de la prenda tienen una función puramente decorativa. El bolsillo aplicado o superpuesto se puede ver en muchas camisas, chaquetas y abrigos; el bolsillo ribeteado, en trajes y abrigos de calidad.

Bolsillo aplicado

1 Pliegue la pieza de tela por la línea de doblez, derecho sobre derecho, y pase un pespunte por los bordes longitudinales. Corte los márgenes de costura al sesgo en las esquinas de la línea de doblez y dele la vuelta.

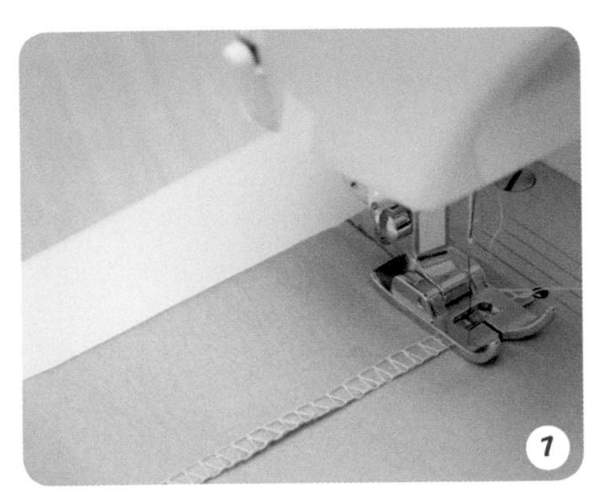

1

2 Planche todos los márgenes de costura hacia la izquierda y pula las esquinas inferiores del bolsillo (*véase* la página 38).

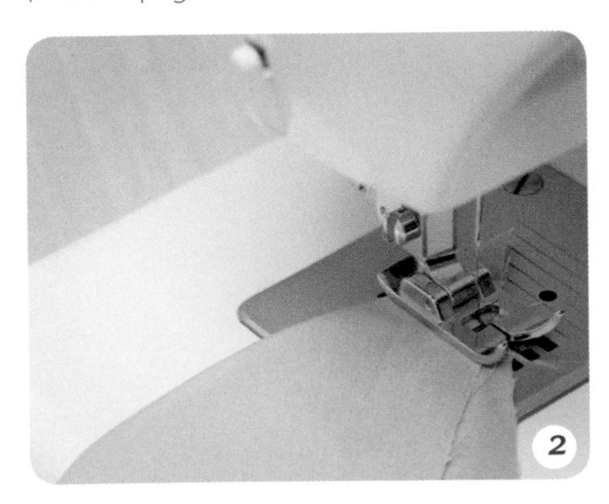

2

3 Planche los bordes del bolsillo y, si lo desea, pase un pespunte fino o con la anchura de la vista por el borde superior. Prenda el bolsillo con alfileres haciendo coincidir las marcas de montaje y pespuntéelo por el derecho, empezando por el borde vertical, siguiendo por el borde transversal y terminando en el borde vertical opuesto. Asegure la costura al principio y al final con un nudo, ya que estos puntos son propensos a descoserse.

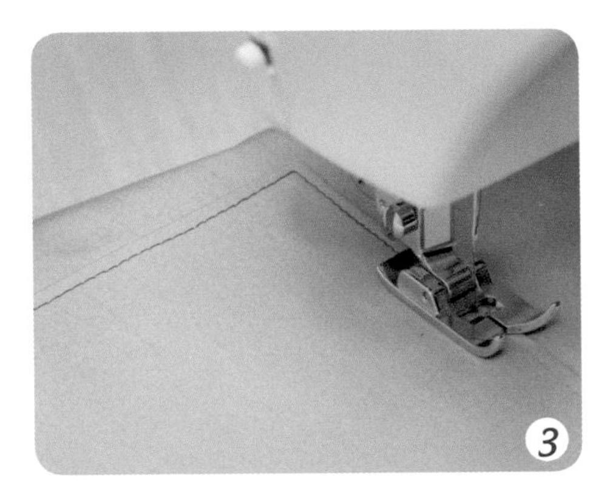

3

Bolsillo ribeteado

1 Planche una entretela centrada en la parte posterior de la marca de la abertura del bolsillo, que sobresalga 2 cm por todos los lados de la abertura. Coloque la pieza superior de fondo del bolsillo hacia arriba, derecho sobre derecho, encima de la marca en la parte delantera. Coloque la pieza inferior del fondo del bolsillo, tocando con la otra y mirando hacia abajo. Prenda ambos fondos con alfileres y pase un pespunte por la marca rectangular de alrededor de la abertura del bolsillo.

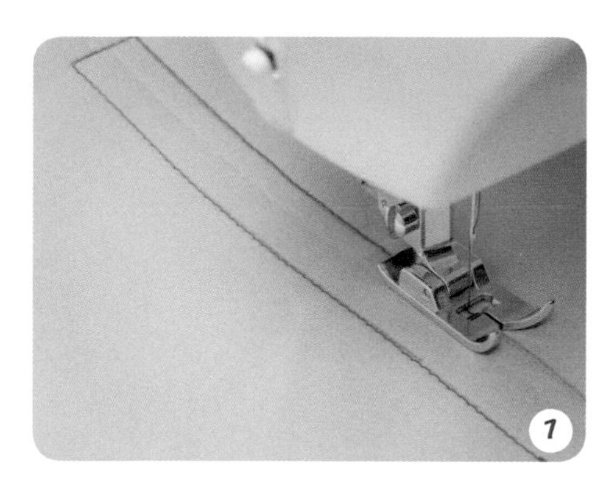

2 Corte por la línea de abertura del bolsillo, en un ángulo de 45º, hacia las esquinas hasta poco antes de llegar a la costura. Plánchela y vuelva los fondos de bolsillo a través del corte hacia el revés de la prenda. Pase hacia el otro lado los pequeños triángulos de las esquinas recortadas. Planche los márgenes de costura y los fondos de bolsillo desde la abertura del bolsillo por las líneas de costura; la tela de los fondos no debe verse por delante.

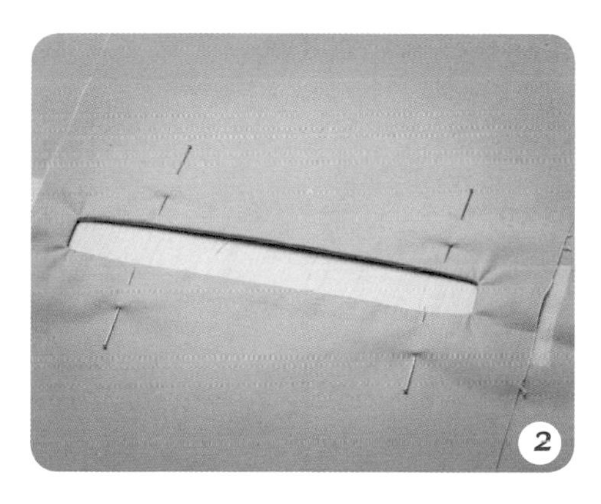

3 Ahora saque un poco los fondos de bolsillo por la abertura hasta formar dos pequeñas tapetas del mismo

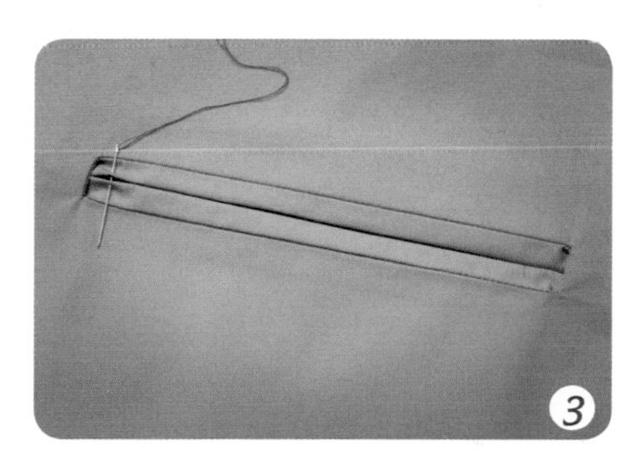

tamaño que se toquen en el centro de la abertura del bolsillo. Prenda las tapetas con alfileres y únalas con un hilván provisionalmente.

4 Por el revés, eche la tela de la prenda hacia atrás, a lo largo de los bordes del bolsillo, para que se vea la línea de costura de la abertura superior del bolsillo y del corte. Pespuntee los márgenes de costura de la abertura superior del bolsillo y del corte juntos. De este modo las tapetas quedarán fijas. Repita esta operación con el fondo de bolsillo inferior.

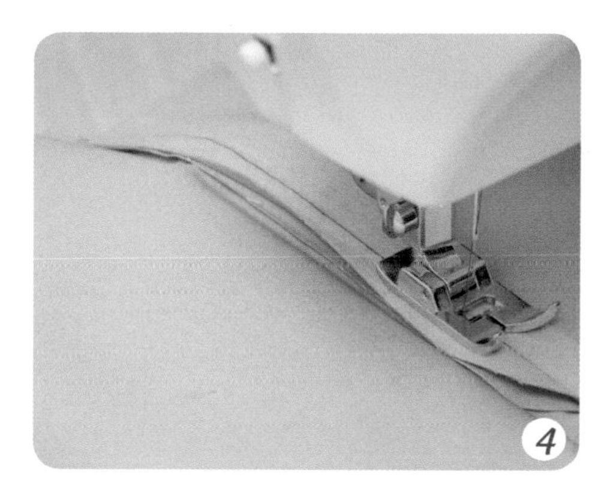

5 Vuelva a planchar las tapetas. Ahora ponga ambos fondos de bolsillo juntos y únalos con alfileres. Pase un pespunte alrededor para unirlos, el principio y el final conforman los extremos laterales de las tapetas; el pespunte debe pasar también por encima de los triángulos recortados. Sobrehíle los bordes del fondo de bolsillo y retire los hilvanes.

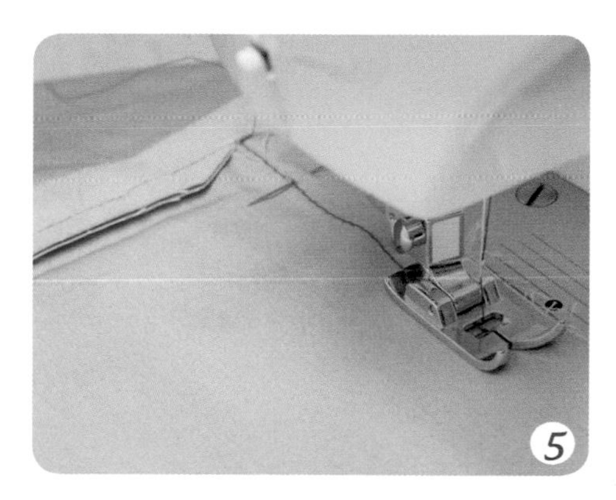

Cierres

Ya se trate de una chaqueta, una blusa, un abrigo o un pantalón, casi todas las prendas de vestir tienen un cierre, aunque a veces solo sea decorativo. Los más comunes son los botones y las cremalleras, pero también hay botones de presión para remachar, corchetes, cinta de velcro y mucho más.

Coser botones

1 Asegure el final de hilo con unas puntadas pequeñas. Coloque el botón centrado y cósalo pasando el hilo por los orificios. Si el botón tiene cuatro agujeros, se puede coser formando dos filas de hilo paralelas, dibujando un cuadrado o bien en forma de cruz.

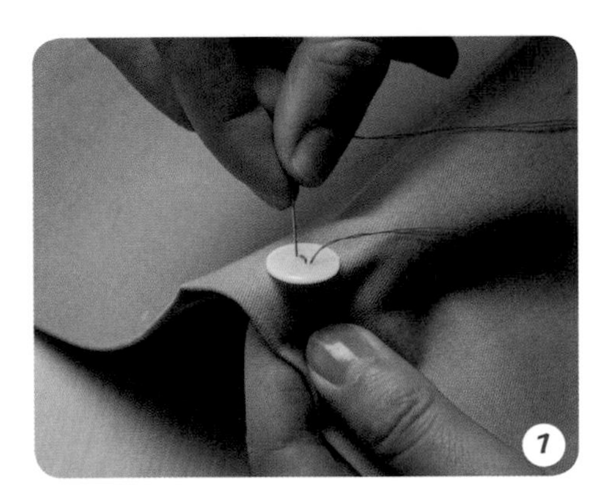

2 Una vez que el botón esté fijo, pase la aguja desde el revés de la tela hasta el derecho, sacándola por debajo del botón. Dé unas vueltas con el hilo alrededor de los hilos que han quedado debajo del botón. Pase la aguja de nuevo al revés de la tela y asegure el hilo con unas puntadas.Si la tela es muy gruesa, el botón necesita una «pata» para evitar que la tela se arrugue. Para coser el botón, ponga un palillo debajo de él y cosa por encima del palillo. Este ayuda a mantener algo de distancia entre el botón y la tela. Retire el palillo antes de arrollar los hilos que formarán la «pata».

Ojal a máquina

Ojal sin ojalador automático

1 Marque el ojal en el derecho de la tela. Coloque la aguja hacia la izquierda y ajuste en la máquina la puntada zigzag de 0,25 mm de longitud y 2 mm de ancho. Clave la aguja en el extremo de la marca del ojal (posición de la aguja a la izquierda) y luego pase un pespunte hasta el final de la marca.

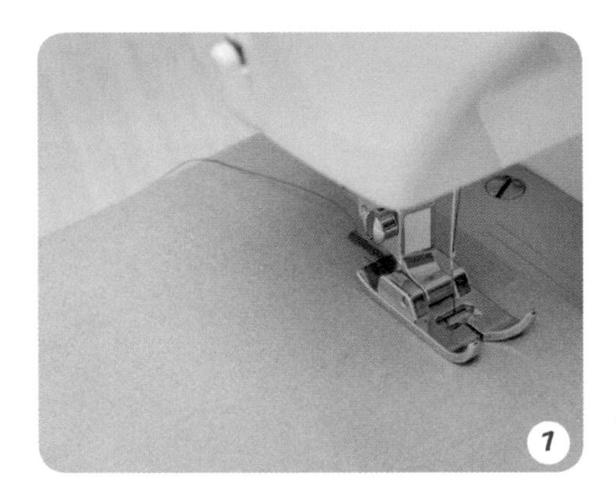

2 Gire el volante de modo que la aguja se clave en la tela. Levante el prensatelas, coloque la aguja en la posición central y gire la tela 180º alrededor de la aguja. Haga descender el pie y refuerce el extremo del ojal con seis puntadas de doble ancho (4 mm). Clave la aguja en la tela en el lado exterior y levante el prensatelas.

3 Para coser el otro lado del ojal, ajuste el ancho de puntada a 2 mm, baje el prensatelas y cosa hasta el principio de la primera costura. Ahora la aguja debe quedar clavada en el borde exterior del ojal.

A continuación, refuerce este extremo del ojal con seis puntadas de doble ancho. Para asegurar la costura, seleccione el ancho de puntada «0» y dé tres puntadas. Después abra el ojal con una tijera puntiaguda o con un abreojales.

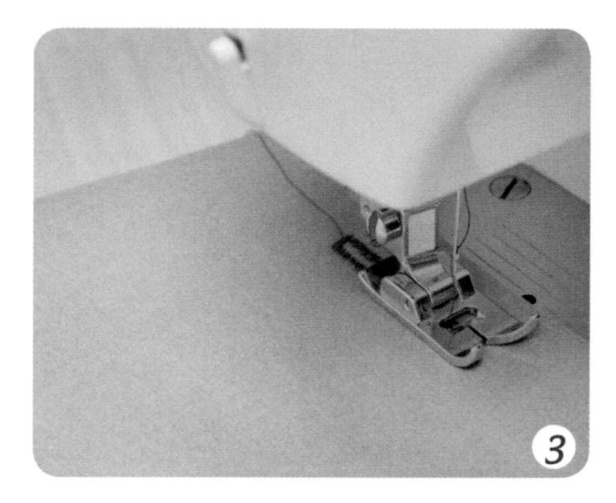

Ojal con ojalador automático

En el manual de instrucciones de su máquina de coser se explica cómo utilizar el ojalador automático. No obstante, es imprescindible disponer de un prensatelas para ojales. Los ojales quedan igual de bien con el ojalador automático que sin él, sin embargo, este supone muchísimo menos trabajo porque lo único que ha de hacer es marcar la longitud del ojal en la tela y coserlo con el ojalador automático. Para el resto de los ojales, el ojalador recuerda la longitud del primero y usted tan solo tendrá que marcar la posición de los siguientes.

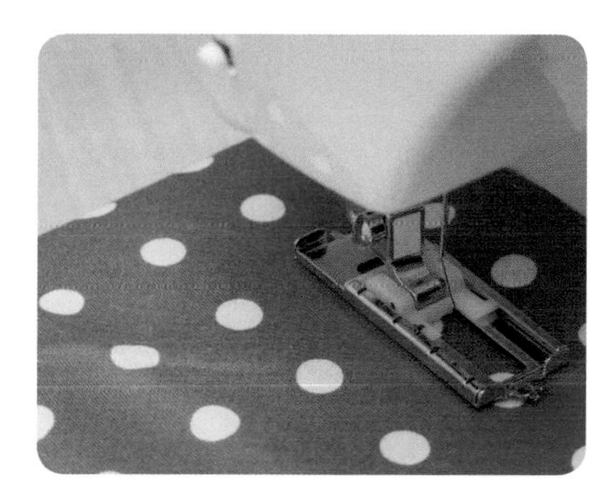

Cremalleras

Se diferencian cuatro tipos de cremalleras: la estándar, la de costura, la de pantalón y la separable.

Cremallera estándar disimulada

Esta cremallera se cierra en un extremo y se puede colocar oculta o a la vista.

1 Cierre la costura con un pespunte hasta la marca de montaje y siga cerrando la costura con un hilván. Planche los márgenes de costura abiertos y sobrehíle los bordes.

Coloque la cremallera con el derecho sobre los márgenes de costura de modo que los dientes queden centrados sobre el hilván. Prenda la cinta de la cremallera al margen de costura con alfileres o hilvánela a lo largo de uno de los lados por el borde. Hilvane también el otro lado de la cinta de la cremallera. Vuelva la prenda de ropa del derecho e hilvane la cremallera a través de todas las capas de tela.

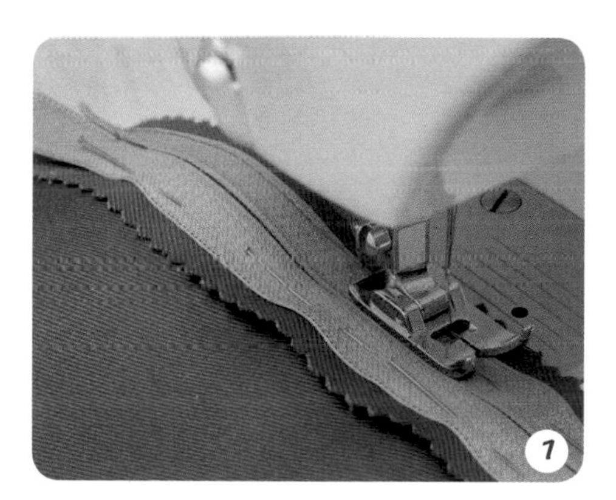

2 Pespuntee ahora la cremallera por el derecho a lo largo del hilván. Córtelo y retire los hilos.

Cremallera estándar a la vista

Cuando no hay costura, la cremallera se coloca de manera que se pueda ver. Para ello, primero se debe practicar un corte en la tela y sobrehilar los bordes, como se procede para la abertura de la manga (*véanse* las páginas 44 y ss., pasos 1-3). El ancho del corte depende del ancho de los dientes de la cremallera.

Coloque la cremallera debajo de los bordes del corte, de manera que los dientes se puedan ver, e hilvánela. Entonces pase un pespunte alrededor de la cremallera por el derecho muy cerca de los dientes. Por último, retire los hilvanes.

Cremallera invisible

Al cerrarse, esta clase de cremallera desaparece y parece una continuación de la costura. Para este tipo de cremallera existe un prensatelas especial (*véase* la página 12). La costura por debajo y por encima de la marca de montaje de la cremallera debe estar abierta todavía.

1 Abra la cremallera y préndala con alfileres en un margen de costura, encarando los derechos, a lo largo de la marca de montaje; los dientes de la cremallera miran hacia el lado contrario del corte. Ahora, meta con cuidado el principio de la cremallera por debajo del prensatelas y baje el pie; la aguja coserá entonces muy cerca de los dientes. A continuación, pase otro pespunte por el otro lado de la cremallera.

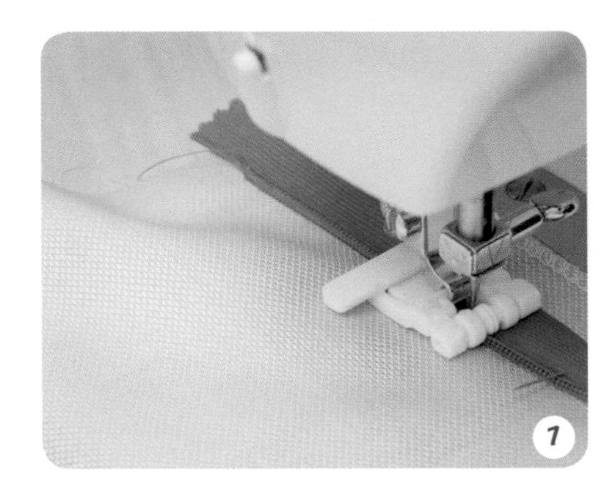

2 Cierre la cremallera. Y, por último, remate las costuras al principio y al final.

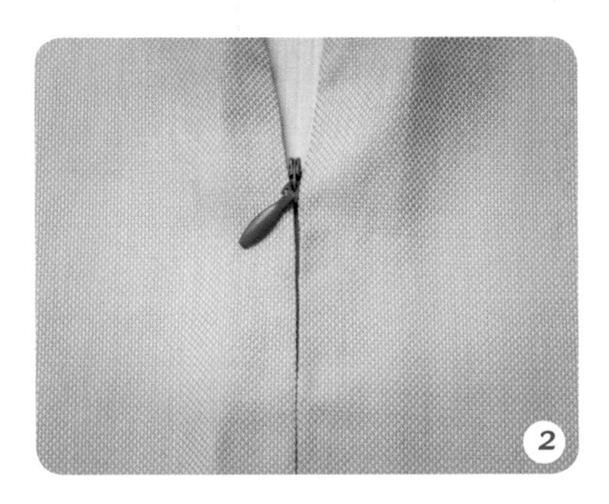

Corchetes

Asegure el final de hilo con puntadas pequeñas en el borde de la tela y coloque el gancho del corchete lo más cerca posible del borde. Cosa el corchete a la tela, con varias puntadas, sin llegar a traspasarla. A continuación, cosa el aro del corchete en el lado opuesto del mismo modo o haga una presilla de hilo (*véase* la página 25).

Cinta de velcro

Existe velcro adhesivo y velcro para coser. El velcro es más apropiado para ropa de casa que para prendas de vestir, ya que se estropea con facilidad si se abre y cierra muchas veces. Si se utiliza como cierre para una chaqueta, el velcro quedará a la vista cuando esta esté abierta. La cinta de velcro se cose por separado en los bordes de la prenda.

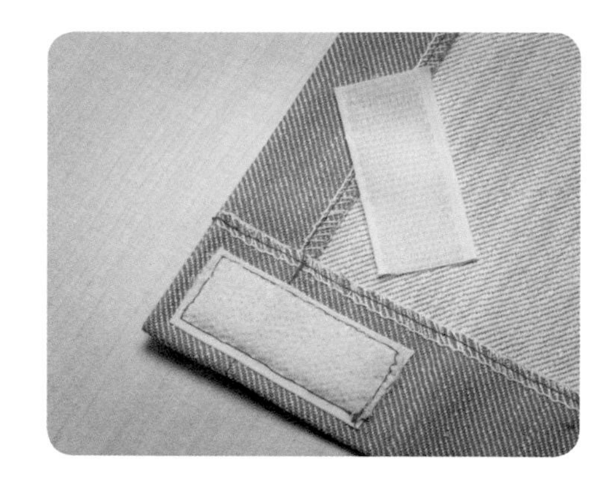

Proyecto de costura: unos mitones a partir de un jersey

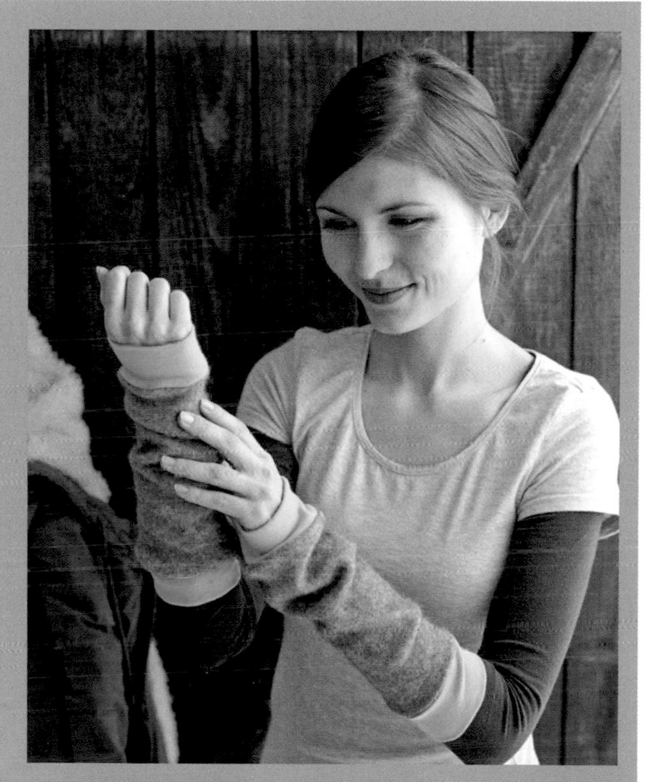

Si quiere poner puños nuevos, corte los puños del jersey. El ancho de las mangas a la altura de las muñecas debería oscilar entre los 9 y los 14 cm, aunque más arriba sean mas anchas. La manga debería tener unos 25 cm de largo. Corte los puños de tela elástica por separado, dos veces de cada: 21 x 10 cm y 16 x 10 cm, incluido 1 cm de margen de costura. Asegúrese de que los ribetes de punto discurran paralelos al lado corto del puño. La longitud hace referencia a los puños abiertos. Forme cuatro anillos, cosiendo a máquina con punto zigzag los lados cortos de los cuatro puños, derecho sobre derecho, con 1 cm de margen de costura, en paralelo a los ribetes. Doble los puños de modo que el margen de costura quede en el interior. Ponga los anillos sobre el principio y el final de las mangas. El puño queda en el exterior de la manga y todos los bordes abiertos están directamente superpuestos. Hilvane el puño a la manga, frunciendo equitativamente un posible ancho excesivo de la manga. Después cósalo a máquina a punto zigzag, estirando el puño un poco, para que el ancho excesivo de la manga no forme arrugas. Repliegue el puño y dele forma planchándolo con cuidado.

(Idea/realización: Rabea Rauer e Yvonne Reidelbach)

Modificaciones y arreglos

Para arreglar la cintura de una falda o un pantalón ya no necesita una costurera, ahora lo puede hacer usted mismo. También podrá zurcir un roto o un agujero en su prenda de ropa favorita sin que se note y sin ayuda de nadie.

Para arreglar prendas a menudo se deben deshacer costuras y dobladillos. Para abrir una costura utilice un descosedor o abreojales, con la punta es muy fácil acceder por debajo de los hilos de la costura.

Deslice el descosedor bajo la costura hasta llegar a la curva afilada y corte los hilos con ella. De este modo puede ir deshaciendo las puntadas una a una. Por último, retire los hilos de la costura por ambos lados de la prenda.

Acortar un dobladillo

1 Deshaga el dobladillo con la ayuda de un descosedor o bien de una tijera puntiaguda y retire los hilos. Pruebe la prenda y marque el nuevo dobladillo. Préndalo con alfileres; puede utilizar el doblez del dobladillo anterior para orientarse. Entonces vuelva a probar la prenda de ropa. Si el largo del dobladillo nuevo es el correcto, planche el borde de dobladillo y, al mismo tiempo, planche el doblez del dobladillo anterior para hacerlo desaparecer.

2 Marque el borde de corte con un jaboncillo o con «marcador mágico» a unos 3 cm del nuevo borde de dobladillo. Recorte entonces la tela sobrante.

A continuación, doble el margen de dobladillo aproximadamente 1 cm hacia dentro y plánchelo bien. Cosa el dobladillo a mano o bien pase un pespunte a máquina (*véanse* las páginas 24 y 36).

Alargar un dobladillo

Sacar un dobladillo solo merece la pena si tiene al menos 2 cm de ancho; si es más ancho, todavía mejor. Sin embargo, con el «dobladillo falso», que se confecciona con tela de forro, solo necesitará 0,5 cm de margen de costura; si es más ancho, lo puede utilizar como prolongación.

1 Corte una tira de forro de 4 cm de ancho y de la longitud de la prenda más 2 cm de margen de costura.

Superponga los extremos de la tira y cósalos formando un círculo. Planche los márgenes de costura abiertos.

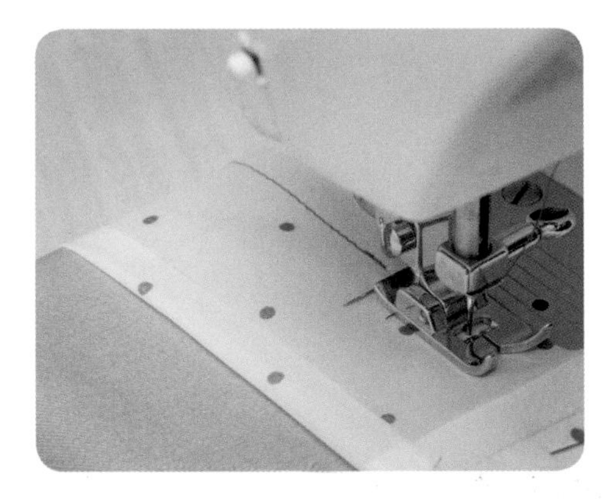

2 Prenda la tira de forro con alfileres, encarando los derechos, al borde del dobladillo. La costura de la tira de forro debe coincidir con la costura de la prenda de ropa. Pase un pespunte para unir la tira de tela a la prenda, con un margen de costura de 0,5 mm. Planche la costura y doble la pieza de tela añadida hacia dentro. Deslice la pieza añadida de modo que no se pueda ver por el derecho. Planche el borde de doblez. Pliegue el borde superior del dobladillo falso 1 cm hacia dentro y plánchelo. Fije el dobladillo a lo largo del borde planchado con una costura a mano o a máquina (*véanse* las páginas 24 y ss.).

Estrechar la cintura de una falda o un pantalón

Si la cintura es 1,5-2,5 cm demasiado ancha, reduzca el exceso en la costura posterior de la prenda. A partir de 3 cm, estreche la prenda en las costuras laterales.

1 En ambos casos, proceda a descoser la cinturilla unos 6 cm. Entonces, descosa la costura central o las laterales unos 10-15 cm.

Planche los bordes de costura descosidos de la prenda. Vuelva a coser cada lado de la cinturilla, encarando los derechos, a la cintura de la prenda.

2 Ahora cierre la costura central, o las laterales, encarando los derechos y pasando un pespunte a la altura deseada reduciendo el sobrante. La costura de unión debe empezar recta en la cinturilla e ir descendiendo hasta encontrar la costura sin descoser. Recorte los márgenes de la nueva costura dejando 0,75-1 cm, plánchelos abiertos y sobrehílelos. Pliegue la cinturilla hacia el interior de la prenda, doble el margen de costura hacia dentro y préndalo con alfileres por el revés. Luego pespuntee la cinturilla por el derecho.

3 A menudo en la prenda hay una presilla para el cinturón sobre la costura central posterior o sobre las costuras laterales. En este caso, las presillas se deben descoser antes de estrechar la prenda. Una vez retocada la prenda, vuelva a introducir las presillas por debajo de la cinturilla y pase un hilván para sujetarlas. Las presillas se fijan pasando tres pespuntes superpuestos por el borde de costura. Fíjese en los pespuntes de las presillas que no se han descosido para que los nuevos pespuntes queden a la misma altura y no se note ninguna diferencia.

Cambiar una cremallera

Incluso la cremallera de unos vaqueros es fácil de cambiar, aunque no lo parezca a primera vista.

1 Descosa todas las costuras de la cremallera con una tijera puntiaguda o, mejor aún, con un descosedor. En este caso, se trata de las costuras del soporte, las costuras centrales delanteras y la base de la cinturilla (unos 6 cm de largo). Retire todos los restos de hilos.

2 Hilvane y pespuntee la cremallera derecho con derecho al soporte del lado del ojal (la izquierda en las prendas femeninas, la derecha en las masculinas). Los dientes de la cremallera deben quedar a 2 o 3 mm del centro del frontal. Coloque el pie para cremalleras en la máquina y pespuntee la cremallera a lo largo del borde de doblez original doblado hacia el revés. Abra la cremallera.

3 Coloque la cinta de la cremallera bajo la costura central delantera, doblada y planchada, con los dientes junto

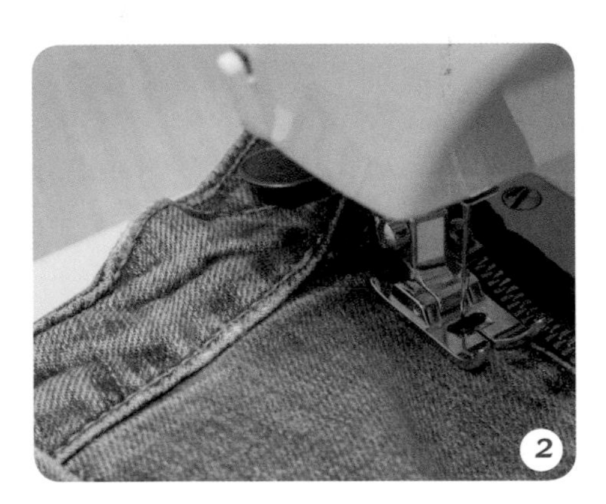

al borde de doblez. Monte el soporte inferior, del lado del botón, igual que antes de descoserlo, hilvane todas las capas juntas a lo largo de los dientes de la cremallera y pespuntee. Ciérrela y compruebe que queda plana. Pespuntee el soporte que tapa la cremallera desde el derecho, a lo largo de la costura inicial, y fije el final de la costura a la costura central de la prenda.

Remendar rotos y agujeros

Zurcir con puntada elástica

Recorte un parche termoadhesivo, del color de la prenda, algo más grande que el roto o el agujero. Planche el parche por debajo del roto o del agujero. A continuación, cosa varias filas de pespuntes de puntada elástica, paralelas y ligeramente superpuestas sobre el agujero. Para ello le recomendamos utilizar hilo del color de la prenda que desea remendar.

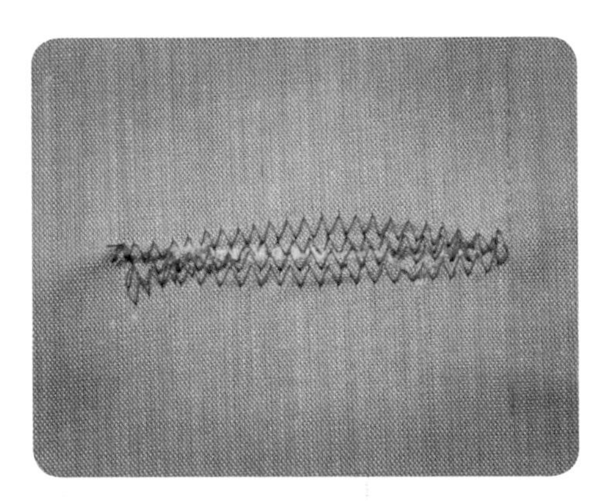

Remendar un «siete»

Prepare un parche termoadhesivo del color apropiado y recórtelo 2 cm más grande que el siete. Coloque el parche centrado por debajo del roto y plánchelo por el derecho. Mientras lo hace, vaya juntando los extremos del roto para que no se vea el parche. Pase un pespunte de zigzag a lo largo de los bordes del siete y, después, por el interior.

Reparar un botón arrancado

Prepare un parche termoadhesivo redondo 1 cm más grande que el agujero. Planche el parche por debajo del agujero. Después, zurza el agujero por el derecho con puntadas rectas en todas las direcciones hasta cubrir por completo el agujero. Asegúrese de que los pespuntes queden cubiertos después por el botón.

Zurcir un área desgastada

Prepare un parche termoadhesivo del tamaño requerido. Plánchelo por debajo del área desgastada. Zurza el área con puntadas rectas en todas las direcciones hasta cubrirla por completo.

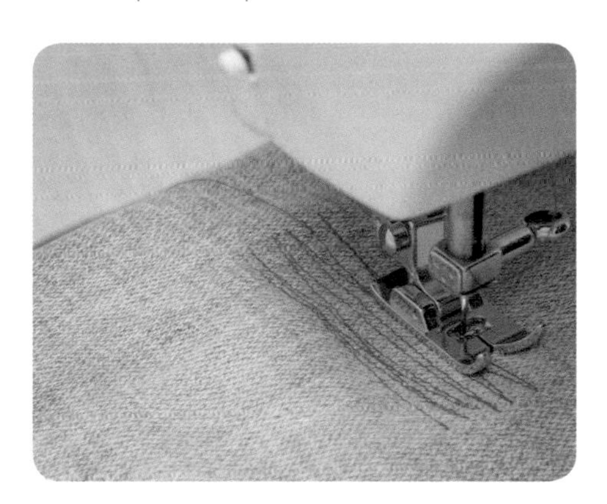

El parche apropiado

Si se ha roto una de sus prendas favoritas y no quiere desprenderse de ella, merece la pena remendarla. Para ello lo mejor es utilizar un parche de la misma tela, para que no se vea la diferencia. Este pedazo de tela lo puede tomar de una parte interior de la prenda, como un fondo de bolsillo, o bien de una vista.

Remiende la parte de la prenda de donde ha tomado el pedazo de tela.

Bonitos proyectos para todos los gustos

Revistero de pared

Este revistero de pared confeccionado con materiales románticos no solo tiene un aspecto estupendo, sino que además proporciona espacio para unas cuantas revistas y periódicos. Almacena su material de lectura enrollado, dando un aspecto ordenado a su sala de estar.

Medidas: 30 x 67 cm

Grado de dificultad:   

NECESITARÁ:

- Tela de algodón verde con estampado de rosas de 1,30 m de ancho x 20 cm de largo
- Tela de algodón fucsia a topos verdes de 1,30 m de ancho x 20 cm de largo
- Tela de algodón a cuadros fucsias y blancos de 1,40 m de ancho x 40 cm de largo
- Entretela termoadhesiva semirrígida de 90 cm de ancho x 80 cm de largo
- 2 ojetes dorados de Ø 2 cm; herramienta para ojetes
- Hilo a juego

INSTRUCCIONES

Cortar:

Tela verde con estampado de rosas: 4 x 32 cm de ancho y 19 cm de largo, incluido 1 cm de margen de costura.

Tela fucsia a topos: 4 x 32 cm de ancho y 19 cm de largo, incluido 1 cm de margen de costura.

Tela a cuadros: 1 x 1,38 m de ancho y 32 cm de largo, 1 x 32 cm de ancho y 8 cm de largo, incluido 1 cm de margen de costura.

Entretela: 8 x 19 cm de ancho y 32 cm de largo, 1 x 32 cm de ancho y 8 cm de largo, incluido 1 cm de margen de costura.

1 Refuerce las piezas de tela con la entretela. Cosa las piezas por el lado largo a 1 cm del borde, alternando una de tela estampada con rosas y una a topos, colocándolas derecho con derecho. Abra los márgenes de costura con la plancha.

2 Superponga la tela a cuadros a la tela exterior, derecho con derecho, cosa los lados largos, dele la vuelta y planche los bordes.

3 Doble el tubo de tela por la mitad, superponiendo las costuras delanteras con las traseras. Para formar los túneles para las revistas, cosa a máquina una línea de pespunte fino encima y debajo de cada costura atravesando todas las telas.

4 Realice la pieza para colgar el revistero doblando la tira estrecha a cuadros a lo largo, derecho con derecho. Cierre los lados cortos, dele la vuelta a la cinta y plánchela. Doble uno de los dos lados abiertos 1 cm hacia dentro y plánchelo. Cosa el borde liso, sin planchar, al borde superior del revistero. Después, planche todos los márgenes de costura de la cinta de tela a cuadros y cosa el borde abierto, doblado anteriormente, con un pespunte fino ajustado al borde.

5 Monte los ojetes, uno a la derecha y otro a la izquierda, centrados en la cinta a cuadros, y cuelgue el revistero de la pared o de una estantería con dos clavos.

& SOFTWARETESTS FÜR MAC UND iOS
vorgaben überlisten

Cesta de hule

Esta pequeña cesta es un accesorio perfecto para tener las cosas ordenadas. Lo recogerá todo en un santiamén, y coserá la robusta cesta casi igual de rápido. La superficie lavable de hule la hace especialmente adecuada para almacenar todos los pequeños cachivaches del cuarto de baño.

Medidas: 22 x 18 x 18 cm

Grado de dificultad:   

NECESITARÁ:

- Hule verde con estampado de flores de 1,20 m de ancho x 30 cm de largo
- Tela de algodón lila a topos blancos de 1,20 m de ancho x 30 cm de largo
- Entretela termoadhesiva semirrígida de 90 cm de ancho x 60 cm de largo
- Hilo a juego

INSTRUCCIONES:

Cortar

Hule: 2 x delantero y trasero de 23 cm de ancho y 26 cm de largo; 2 x lateral de 20 cm de ancho y 26 cm de largo; 1 x fondo de 24 cm de ancho y 20 cm de largo, incluido 1 cm de margen de costura.

Tela lila a topos: 2 x delantero y trasero de 23 cm de ancho y 26 cm de largo; 2 x lateral de 20 cm de ancho y 26 cm de largo; 1 x fondo de 24 cm de ancho y 20 cm de largo, incluido 1 cm de margen de costura.

Entretela: 2 x delantero y trasero de 23 cm de ancho y 26 cm de largo; 2 x lateral de 20 cm de ancho y 26 cm de largo; 1 x fondo de 24 cm de ancho y 20 cm de largo, incluido 1 cm de margen de costura.

1 Refuerce todas las piezas de hule con la entretela. Cosa los laterales derecho con derecho al delantero y trasero. Abra los márgenes de costura con la plancha. Coloque la parte superior cosida sobre el fondo, derecho con derecho, y cosa el contorno. Abra los márgenes de costura con la plancha. Monte las piezas de algodón de la misma manera, pero deje una abertura lateral para dar la vuelta.

2 Ponga la cesta de hule del derecho, acomode dentro la cesta de algodón, de modo que los bordes abiertos queden superpuestos, derecho con derecho, y cosa el contorno.

3 Dele la vuelta a la cesta a través de la abertura en el lateral de la cesta de algodón y cosa la abertura con unas puntadas a mano. Gire la cesta y doble el borde superior hacia fuera.

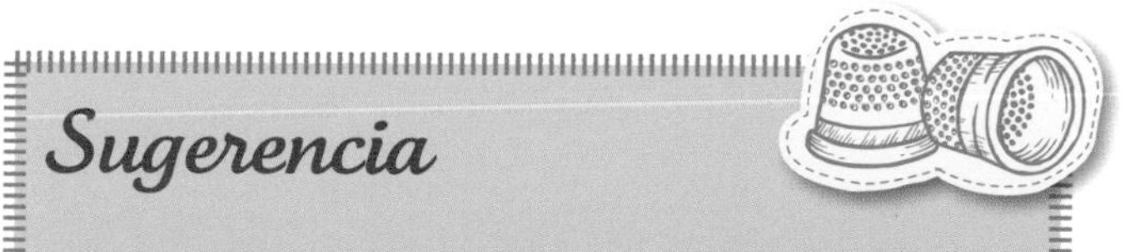

Según para lo que quiera utilizar la cesta, puede aumentar o disminuir las medidas indicadas para las piezas de la forma correspondiente.

Alegre agarrador de cocina

A partir de ahora, cuando cocine sus manos estarán bien protegidas. Las aberturas laterales de este agarrador le permiten coger bien cazos, sartenes y bandejas, y como es acolchado también puede utilizarlo como salvamanteles, dando un toque original a la mesa. Su estampado de colores aporta también una nota alegre a la cocina.

Medidas: 26 x 16 cm

Grado de dificultad:   

INSTRUCCIONES:

Cortar:

Tela estampada: 2 x pieza superior, incluido 1 cm de margen de costura; 1 x pieza inferior, con la tela doblada.

Tela a topos: 2 x pieza superior, incluido 1 cm de margen de costura; 1 x pieza inferior, con la tela doblada;
1 x cinta para colgar de 10 cm de ancho y 4 cm de largo, incluido 1 cm de margen de costura; 39 cm de largo (cinta al bies cortada a un ángulo de 45° respecto al borde).

Entretela termoadhesiva: 4 x pieza superior, incluido 1 cm de margen de costura; 2 x pieza inferior, con la tela doblada.

Entretela de guata: 2 x pieza superior, incluido 1 cm de margen de costura; 1 x pieza inferior, con la tela doblada.

1 Refuerce todas las piezas de tela con la entretela. Cosa la entretela de guata al revés de las piezas de tela estampada con un pespunte ajustado al borde en todo el contorno.

2 Cosa cada pieza superior de la tela a topos a una pieza superior de la tela estampada a lo largo de la parte del agarrador, derecho con derecho. Recorte el margen de costura a lo largo del borde cosido y dele forma planchándolo con cuidado.

3 Doble hacia el centro los bordes largos de la cinta para colgar, plánchela y dóblela por la mitad longitudinalmente. Pespuntee el borde de los dos lados largos de la cinta.

4 Ponga la pieza inferior a topos debajo de la guata de la pieza inferior estampada. Coloque las piezas superiores encima de la pieza inferior y ponga la cinta para colgar en el lugar indicado por las marcas, en el derecho de la tela y con los bordes abiertos hacia afuera. Fíjelo todo con alfileres e hilvane el contorno con una costura ajustada al borde atravesando todas las telas.

5 Cosa los extremos cortos de la cinta al bies para formar un aro. Doble hacia el centro los bordes de la cinta al bies, plánchela, dóblela por la mitad longitudinalmente y plánchela otra vez.

6 Cosa la cinta al bies abierta por el primer doblez planchado, derecho con derecho, al delantero del agarrador. Cosa exactamente en el primer doblez. A continuación, doble la cinta al bies sobre la pieza trasera inferior y cósala con un pespunte ajustado al borde.

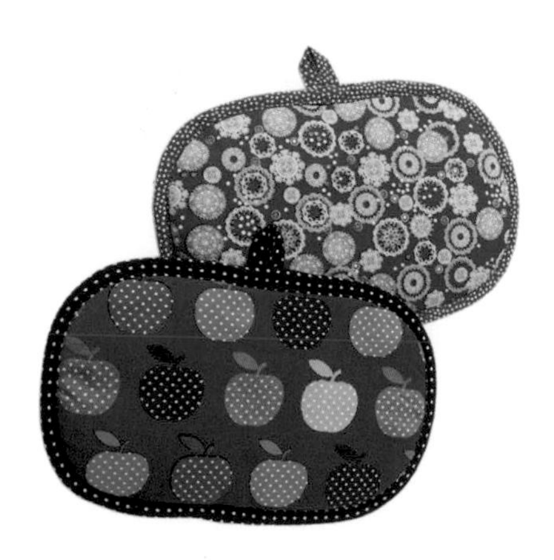

PARA CADA AGARRADOR NECESITARÁ:
Patrones de la pág. 114

- Tela de algodón estampada de 55 x 20 cm
- Tela de algodón a topos de 90 x 35 cm
- Entretela de guata, aprox. 1 cm de grosor, de 55 x 20 cm
- Entretela termoadhesiva semirrígida de 55 x 40 cm
- Hilo a juego

Organizador de cocina

Este sencillo organizador queda que ni pintado en la cocina. Puede adaptar el formato al tamaño de las camisas de caballero usadas y hacer los compartimentos del bolsillo inferior según más le convenga. Puede colgar el organizador de una barra, pasándola por las cintas o por los ojales que tienen estas.

Medidas: 60 x 46 cm

Grado de dificultad:   

NECESITARÁ:
Patrón de la pág. 114

- 2 camisas de caballero viejas a cuadros azul oscuro y blanco o azul claro y blanco
- Entretela para cenefas de 60 cm de ancho x 46 cm de largo
- Hilo a juego

INSTRUCCIONES:

Cortar

Espalda de la camisa 1 (a cuadros azul oscuro): 48 cm x 62 cm, incluido 1 cm de margen de costura.

Delantero de la camisa 2 (a cuadros azul claro), incluida la botonera con los botones: 62 cm x 21 cm, incluido 1 cm de margen de costura.

Espalda de la camisa 2 (a cuadros azul claro): 3 x bolsillo, incluido 1 cm de margen de costura.

Del margen con los ojales de la camisa 2 (a cuadros azul claro): 2 x ancho del margen con los ojales x 18 cm (los ojales de las dos piezas deben estar a la misma distancia de los bordes).

1 Ponga la pieza inferior del organizador sobre la pieza grande y sobrehíle los bordes con punto zigzag o con la máquina de overlock. Planche la entretela para cenefas centrada sobre el revés, doble los bordes de la tela hacia dentro entorno al borde de la entretela y plánchelos. Doble las cintas para colgar por la mitad y fíjelas en el borde superior, a 1 cm del borde lateral, dentro del dobladillo. Pespuntee el contorno del organizador con 1 cm de margen de costura. Doble las cintas hacia arriba y pespuntee a ras del borde.

2 Cosa las divisiones que desee en el bolsillo grande inferior con líneas de pespunte paralelas al borde lateral, empezando cada costura con una barrita en el borde superior de la botonera.

3 Doble 1 cm hacia dentro los bordes laterales y el inferior de los bolsillos pequeños y plánchelos. Planche también el borde superior doblado hacia dentro dos veces según las líneas de dobladillo marcadas. Cosa a pespunte a 2 cm del borde superior. Cosa los bolsillos al organizador con un pespunte ajustado al borde.

Cojín redondo

Este decorativo cojín le saldrá redondo si combina bien diferentes telas estampadas y lisas. El botón en el centro le da un toque especial. Y cuando quiera una pieza más sencilla, simplemente dele la vuelta.

Medidas: Ø 44 cm

Grado de dificultad:   

INSTRUCCIONES:

Cortar

Tela con estampado grande: 1 x trasero, con la tela doblada (atención: doblada 2 veces); 1 x cuarto; 1 x octavo, incluido 1 cm de margen de costura.

Tela con estampado pequeño: 1 x cuarto; 1 x octavo, incl. 1 cm de margen de costura; 1 x forro del botón.

Tela fucsia: 1 x octavo, incluido 1 cm de margen de costura.

Tela rosa: 1 x octavo, incl. 1 cm margen de costura.

Entretela: 1 x forro del botón.

1 Sobrehíle el contorno de todas las piezas de tela con punto zigzag o con la máquina de overlock. Coloque las de la parte delantera unas junto a otras en la secuencia que prefiera y vaya cosiéndolas pieza a pieza por el borde largo, derecho con derecho. Abra los márgenes de costura con la plancha.

2 Cosa el delantero acabado a la parte trasera, derecho con derecho. Deje una abertura de unos 10 cm para darle la vuelta. Dele la vuelta al cojín y rellénelo generosamente con guata. Después cosa la abertura con unas puntadas a mano.

3 Refuerce el forro del botón con la entretela. Primero ponga un poco de guata de relleno sobre el revés del forro y después el botón centrado. Hilvane con puntos grandes a mano una costura con hilo doble a 2 cm del borde exterior del círculo. Tire fuerte de los extremos del hilo hasta que la tela se tense envolviendo el botón. Anude los extremos del hilo y recorte la tela sobrante. Coloque el botón en el centro del delantero del cojín y cósalo por todo el contorno con pequeñas puntadas a mano.

NECESITARÁ:
Patrones de las págs. 116-117

- Tela de algodón en tonos fucsia, con un estampado grande, de 90 cm de ancho x 50 cm de largo
- Tela de algodón roja, con un estampado pequeño, de 60 cm de ancho x 30 cm de largo
- Tela de algodón fucsia de 20 cm ancho x 30 cm largo
- Tela de algodón rosa de 20 cm ancho x 30 cm largo
- Entretela termoadhesiva semirrígida de 15 cm de ancho x 15 cm de largo
- 1 botón de Ø 4 cm
- Guata de relleno, hilo a juego

NECESITARÁ: **Patrones de la pág. 115**

Cupcake 1 (abajo):

- Tela de algodón blanca con topos rosas pequeños de 25 x 10 cm
- Tela de algodón blanca con topos rosas grandes de 25 x 10 cm
- Fieltro marrón oscuro de 40 x 10 cm
- Cinta ondula rosa de 1 x 30 cm o

Cupcake 2 (arriba):

- Tela de algodón blanca con topos rojos de 25 x 10 cm
- Tela de algodón blanca con florecitas rojas de 25 x 10 cm
- Fieltro beis de 40 x 10 cm
- Cinta rosa de 7 mm de ancho x 30 cm de largo

Cupcake 3 (izquierda):

- Tela de algodón rosa con pequeñas rosas de 15 x 15 cm
- Tela de algodón fucsia con pequeños topos blancos de 15 x 15 cm
- Fieltro marrón oscuro de 40 x 10 cm
- Cinta ondula fucsia de 1 x 30 cm

Además, para el conjunto de 3 cupcakes:

- Entretela termoadhesiva semirrígida de 90 x 30 cm
- 3 cuentas decorativas o rosas de Ø 1-2 cm
- Guata de relleno, hilo a juego

Cupcakes decorativos

Estos bonitos pastelitos ni engordan ni se estropean. Con esta decoración tan dulce puede adornar un estante o una vitrina que utilice poco, dándole un aspecto nuevo.

Medidas: ø 8 cm, 10 cm de alto

Grado de dificultad:   

INSTRUCCIONES:

Cortar:

(Consejo: refuerce las piezas de tela con la entretela antes de cortarlas).

Tela blanca con topos rosas pequeños: 4 x cupcake 1, incluidos 7 mm de margen de costura.

Tela blanca con topos rosas grandes: 4 x cupcake 1, incluidos 7 mm de margen de costura.

Tela blanca con topos rojos: 3 x cupcake 2, incluidos 7 mm de margen de costura.

Tela floreada: 3 x cupcake 2, incluidos 7 mm de margen de costura.

Tela rosa con rosas: 1 x espiral.

Tela fucsia con topos blancos: 1 x cupcake 3, incluidos 7 mm de margen de costura.

Fieltro marrón oscuro: 4 x lateral de la base, 2 x fondo, incluidos 5 mm de margen de costura.

Fieltro beis: 2 x lateral de la base, 1 x fondo, incluidos 5 mm de margen de costura.

1 Cupcakes 1 y 2: cosa las piezas de la cofia alternadas, derecho con derecho, y después abra los márgenes de costura con la plancha.

2 Cupcake 3: cosa la espiral a la tela a topos con punto de ojal. Hilvane el borde exterior del círculo de tela y tire del hilo de modo que el contorno mida 28 cm. Anude los extremos del hilo y reparta la tela equitativamente.

3 En los laterales de las bases, pespuntee líneas paralelas verticales separadas unos 7 mm con hilos de colores que contrasten. Forme anillos cosiendo las piezas laterales de dos en dos por los extremos cortos, superponiendo 5 mm de fieltro.

4 Dele la vuelta a las cofias sobre los laterales de la base, fije con alfileres una cinta en el cambio de tela a fieltro y cosa a mano con pequeñas puntadas todas las telas juntas. Rellene los cupcakes con guata. Empuje el fondo dentro del anillo de fieltro y cosa a mano los bordes con pequeñas puntadas. Cosa a mano también con unas pocas puntadas las cuentas y las rosas centradas sobre los cupcakes.

Bolso tejano chic

Este resistente bolso, hecho con unos pantalones tejanos viejos y provisto de pequeños y prácticos bolsillos exteriores de colores, se convertirá en su acompañante ideal. Este accesorio que nunca pasa de moda tiene espacio no solo para los objetos del día a día, sino también para mayores tareas.

Medidas: 50 x 65 cm

Grado de dificultad:   

NECESITARÁ:
Patrón de la pág. 115

- 2 pantalones tejanos viejos
- 1 chaqueta o pantalón viejo con bolsillos exteriores
- Sábana o tela de algodón de un color similar de 1,10 m de ancho x 70 cm de largo
- Hilo a juego

INSTRUCCIONES:

Cortar

Parte trasera de la pernera de los tejanos: 4 x bolso tejano, incluido 1 cm de margen de costura (si los pantalones son demasiado pequeños, reduzca el patrón).

Sábana o tela de algodón: 4 x bolso tejano, incluido 1 cm de margen de costura.

Chaqueta o pantalón: descosa 1 o 2 bolsillos exteriores o córtelos con un pequeño margen de tela.

1 Coloque los bolsillos exteriores sobre la tela tejana y cósalos con punto zigzag ajustado al borde o a lo largo de la costura original.

2 Cosa la costura del centro del bolso derecho con derecho. Pespuntee la costura dos veces. Coloque las piezas del bolso derecho con derecho y cósalas a lo largo del borde exterior. Una las piezas también por los bordes cortos de las asas.

3 Deje una abertura para dar la vuelta al bolso en la parte inferior de la costura exterior. Meta un bolso dentro del otro, coja el conjunto por la abertura para darle la vuelta y saque poco a poco el borde redondo de las asas. Tire de las dos telas derecho con derecho a través de la abertura y cósalas desde la costura central hasta la costura superior. Recorte el margen de costura y plánchelo. Por último, cierre la abertura con unas cuantas puntadas a mano.

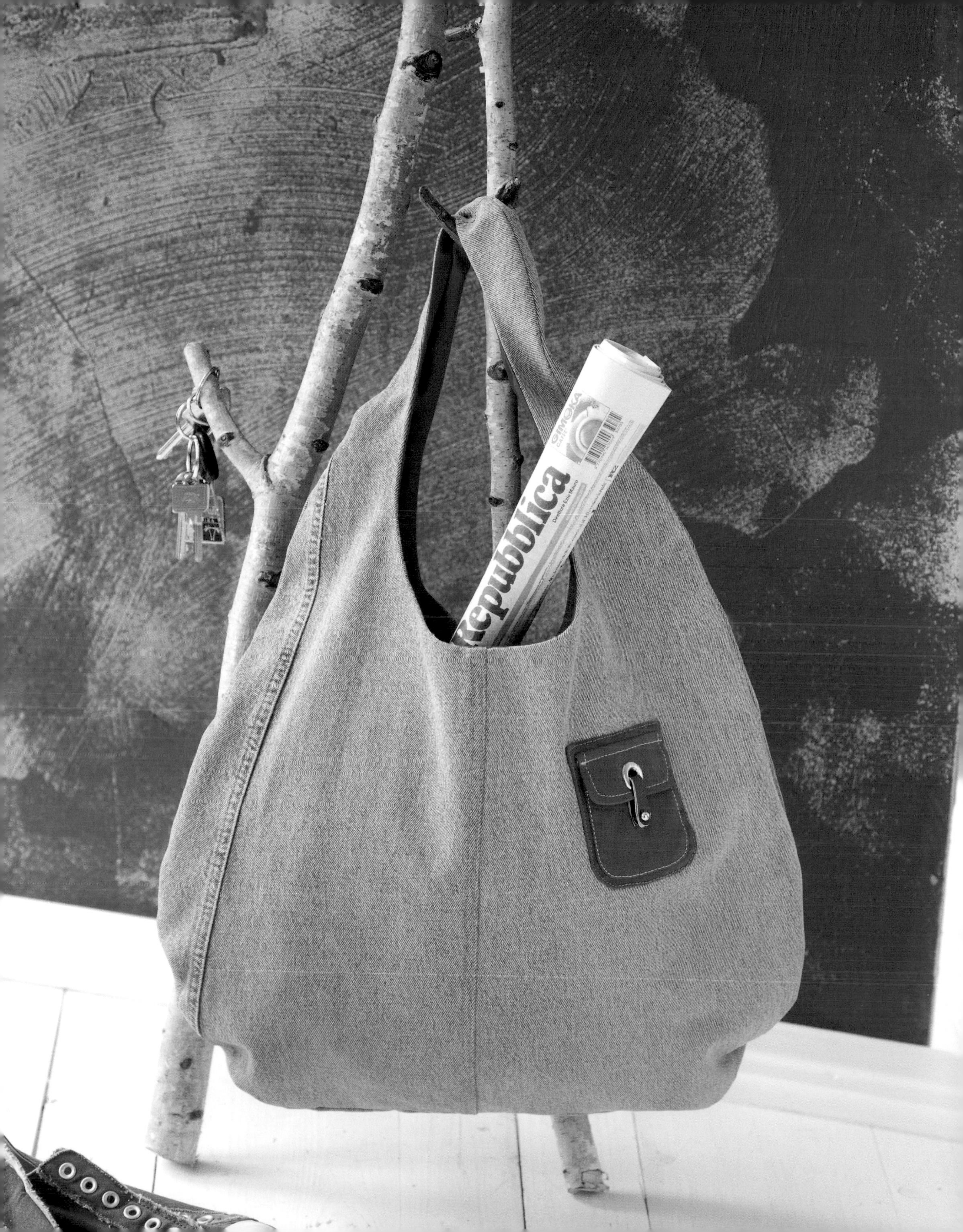
Repubblica

Almohada reposacabezas

Este reposacabezas no solo es un bonito accesorio para cualquier sofá, sino que además es increíblemente cómodo para echar una agradable cabezadita en los calurosos días de verano.

Medidas: Ø 15 cm, 40 cm de largo

Grado de dificultad:   

NECESITARÁ: Patrón de la pág. 116

- Tela de algodón amarilla a topos blancos de 50 cm de ancho x 30 cm de largo
- Tela de algodón amarilla estampada de 50 cm de ancho x 20 cm de largo
- Tela de algodón amarilla a rayas de 1 cm de ancho x 15 cm de largo
- 1 cremallera de color similar de 30 cm de largo
- 1 reposacabezas de 40 cm de largo, Ø 15 cm y 44 cm de contorno
- Hilo a juego

INSTRUCCIONES:

Cortar

(Consejo: si no encuentra un reposacabezas del tamaño indicado, puede adaptar las medidas de las piezas o rellenar el espacio sobrante con guata de relleno).

Tela a topos: 1 x 46 cm de ancho y 8 cm de largo; 2 x lateral, incluido 1 cm de margen de costura.

Tela estampada: 1 x 46 cm de ancho y 16 cm de largo, incluido 1 cm de margen de costura.

Tela a rayas: 2 x 46 cm de ancho y 12 cm de largo, incluido 1 cm de margen de costura.

1 Sobrehíle el contorno de todas las piezas con punto zigzag o con la máquina de overlock. Cosa las tiras de tela por el lado más largo en la secuencia que prefiera, derecho con derecho, a 1 cm de los bordes. Abra los márgenes de costura con la plancha.

2 Coloque la cremallera abierta y centrada, derecho con derecho, sobre cada uno de los bordes inferiores de la funda. Cosa tan cerca de los dientes de la cremallera como pueda. Después, cierre la cremallera y cosa el resto del borde delante y detrás de la cremallera.

3 Abra la cremallera y ponga la funda del revés. Hilvane los laterales redondos en los extremos del tubo de tela, derecho con derecho, y cosa los contornos. Dele la vuelta para poner la funda del derecho.

Puf original

En una sala de estar, el puf atrae todas las miradas porque es un perfecto asiento adicional junto a la mesita de café o, simplemente, un elemento decorativo que aporta color. Con las telas adecuadas, también puede ser un divertido accesorio para la habitación de los niños.

Medidas: Ø 44 cm, 40 cm de alto

Grado de dificultad:   

NECESITARÁ: Patrón de la pág. 117

- Tela de algodón roja floreada de 1 m de ancho x 50 cm de largo
- Tela de algodón roja estampada de 1,42 m de ancho (puede utilizar el orillo de la tela) x 42 cm de largo
- Tela de algodón roja de 60 cm de ancho x 60 cm de largo
- Entretela para cenefas de 1,42 m de ancho (puede utilizar el orillo de la tela) x 90 cm de largo
- Cordel de aprox. 1 cm de grueso x 2,80 m de largo
- Guata de relleno, hilo a juego

INSTRUCCIONES:

Cortar

Tela floreada: 2 x fondo, con la tela doblada (atención: tela doblada 2 veces), incluido 1 cm de margen de costura.

Tela estampada: 1 x lateral de 1,42 m de ancho y 42 cm de largo, incluido 1 cm de margen de costura.

Tela roja: 4 x cinta al bies de 4 cm de ancho y 73 cm de largo (cortada a un ángulo de 45° respecto al borde).

Entretela para cenefas: 2 x fondo, con la tela doblada (atención: tela doblada 2 veces), 1 x 1,42 m de ancho y 42 cm de largo, incluido 1 cm de margen de costura.

1 Planche la entretela para cenefas en el revés de los fondos y el lateral. Únalos cosiéndolos a los bordes cortos del lateral, derecho con derecho, dejando en el centro una abertura de unos 15 cm para darle la vuelta. Pespuntee el margen de costura a 5 mm a derecha e izquierda de la costura.

2 Forme dos aros con dos cintas al bies cada uno, y cósalas por los extremos. Doble las cintas al bies por la mitad a lo largo y colóquelas dobladas cada una sobre el derecho de un fondo, con los bordes abiertos superpuestos. Cosa la cinta al bies al contorno del fondo con un pespunte ajustado al borde, de modo que forme un túnel, pero deje una pequeña abertura en cada uno. Corte el cordel por la mitad y, ayudándose de un imperdible, páselo por la pequeña abertura y atraviese la jareta del contorno del fondo. Repita la operación con el otro fondo.

3 Ponga los fondos derecho con derecho encima y debajo del lateral y cosa los contornos. Dele la vuelta al puf a través de la abertura y rellénelo generosamente con guata. Para acabar, cierre la abertura con unas cuantas puntadas a mano con hilo doble.

NECESITARÁ:

- 3 telas de algodón diferentes de 1,10 m x 45 cm
- Tela de algodón a cuadros fucsias y blancos de 1,10 x 70 cm
- Tela de algodón azul claro a topos blancos de 1,40 x 2,80 m; hilo a juego
- Entretela de guata, 2 cm de grosor, de 1,40 x 1,80 m

Colcha de patchwork

Esta bonita colcha de patchwork es muy versátil: la podrá utilizar tanto como manta para el sofá como cubrecama o manta de juegos para los más pequeños. Si bien es cierto que su confección es laboriosa, una vez la haya terminado con sus telas favoritas no podrá prescindir de ella.

Medidas: 1,37 x 1,75 m

Grado de dificultad:   

INSTRUCCIONES:

Cortar

(Consejo: prepare un patrón de cartulina de 21 x 21 cm para cortar los cuadrados de forma precisa. Corte en paralelo al orillo de la tela).

Tres telas: de cada una, 9 cuadrados de 21 cm de ancho y 21 cm de largo, incluido 1 cm de margen de costura.

Tela a cuadros: 8 cuadrados de 21 cm de ancho y 21 cm de largo; 4 cuadrados de 23 cm de ancho y 23 cm de largo, incluido 1 cm de margen de costura.

Tela de algodón a topos: 1 x trasero de 1, 39 m de ancho y 1,77 m de largo; bordes: 2 x 1,35 m de ancho y 23 cm de largo; 2 x 97 cm de ancho y 23 cm de largo, incluido 1 cm de margen de costura.

1 Ponga los cuadrados uno junto a otro en la secuencia que prefiera. Trabaje hilera a hilera, montando tiras de 7 cuadrados cada una; cósalos a 1 cm del borde, derecho con derecho, y abra los márgenes de costura con la plancha.

2 Cosa las cinco tiras entre sí por el lado largo, derecho con derecho, para obtener una superficie total de 97 cm x 1,35 m. No se olvide de fijar las costuras primero para evitar desplazamientos. Abra los márgenes de costura con la plancha.

3 Cosa las tiras largas de tela a topos a los lados largos del patchwork, a derecha e izquierda. Cosa los cuadrados a topos, algo más grandes, al final de las tiras cortas a topos. En cada caso, las telas deben estar derecho con derecho. Abra los márgenes de costura con la plancha. Cosa las tiras a los laterales cortos del patchwork, derecho con derecho, y plánchelo.

4 Coloque el patchwork sobre la entretela de guata y corte el contorno de entretela. Una ambas capas cosiendo todo el contorno con una costura ajustada al borde. Pespuntee las costuras del margen exterior y las de los cuadrados de las esquinas del margen.

5 Fije con alfileres el trasero sobre el delantero, derecho con derecho, y cosa todo el contorno, dejando una abertura de unos 30 cm para darle la vuelta. En las esquinas, recorte el margen de costura y la guata. Dele la vuelta a la colcha y plánchela con cuidado. Para acabar, cierre la abertura con unas cuantas puntadas a mano.

Faro para el cuarto de baño

Con este faro marinero, los rollos de papel higiénico estarán bien protegidos. Y si únicamente lo usa como decoración, se encargará de que en su baño siempre sople una brisa fresca.

Medidas: Ø 18 cm, 44 cm de alto

Grado de dificultad:   

INSTRUCCIONES:

Cortar

Tela a rayas: 1 x parte inferior del faro, con la tela doblada; 1 x torreta de 25,5 cm de ancho y 7 cm de largo, incluido 1 cm de margen de costura.

Tela con barquitos: 1 x centro del faro, con la tela doblada, incluido 1 cm de margen de costura.

Tela con nubes: 1 x pieza superior del faro, con la tela doblada, incluido 1 cm de margen de costura.

Tela blanca: 1 x tejado; 1 x fondo, incluido 1 cm de margen de costura;

Tela roja: 1 x bandera.

Forro: 1 x forro, con la tela doblada; 1 x fondo del forro, incluido 1 cm de margen de costura.

Entretela termoadhesiva: 1 x tejado, 1 x torreta de 25,5 cm de ancho y 7 cm de largo; 1 x fondo; 1 x parte superior del faro, con la tela doblada; 1 x centro del faro, con la tela doblada; 1 x pieza inferior del faro, con la tela doblada, incluido 1 cm de margen de costura; 1 x bandera.

1 Refuerce las piezas de tela con la entretela. Cosa el tejado derecho con derecho. Recorte los márgenes de costura, ábralos con la plancha y dele la vuelta al tejado. Cosa la torreta por los lados cortos, derecho con derecho. Coloque el tejado derecho con derecho sobre la torreta, cosa el contorno y dele la vuelta. Corte el círculo interior del fondo dejando un margen de 9 mm y colóquelo en la base de la torreta, derecho con derecho, y cosa las dos piezas.

2 Cosa la parte superior del faro a la del centro, derecho con derecho, y después la parte del centro a la inferior, derecho con derecho. Abra los márgenes de costura con la plancha. Cosa el faro por los lados largos, derecho con derecho, para formar un tubo. Abra los márgenes de costura con la plancha.

3 Cosa el forro por los lados largos, derecho con derecho, y plánchelo. Después, póngalo derecho con derecho sobre la parte inferior del faro y cosa el contorno. Dele la vuelta al faro completo. Cosa el fondo de forro al del faro, revés con revés. Dele la vuelta al faro otra vez.

4 Cosa la cinta de encaje a lo largo del borde superior del faro con unas puntadas a mano y fije los botones donde prefiera. Doble la bandera por la mitad y cosa los bordes abiertos con punto zigzag. Inserte con cuidado el mondadientes en la bandera, después en la cúspide del faro y por último fíjelo al faro con unas puntadas a mano.

ECESITARÁ:

atrones de la pág. 119

- Tela de algodón a rayas azules y blancas, 80 cm de ancho x 25 cm de largo
- Tela de algodón azul con estampado de barquitos, 70 cm de ancho x 20 cm de largo
- Tela de algodón blanca con estampado de nubes, 60 cm de ancho x 25 cm de largo
- Tela de algodón blanca, 60 cm de ancho x 20 cm de largo
- Tela de algodón roja, 15 cm de ancho x 15 cm de largo
- Tela para forros blanca, 70 cm de ancho x 40 cm de largo
- Entretela termoadhesiva rígida, 90 cm de ancho x 60 cm de largo
- Encaje de ganchillo, 1 cm de ancho x 20 cm de largo
- 3 botones con motivos marineros de Ø 1,5-2,5 cm
- 1 mondadientes
- Hilo a juego

BRITE!
SOAP

Bolsa para la colada

A partir de ahora, su ropa sucia no solo estará a salvo de las miradas curiosas, sino también durante el lavado. Sus jerséis y la ropa delicada están a buen recaudo en esta bolsa de alegres colores con una cinta para colgar, pero también puede utilizarla para separar las piezas de ropa para lavar a mano.

Medidas: 37 x 47 cm

Grado de dificultad:   

NECESITARÁ:

- Tela de algodón estampada de colores de 80 cm de ancho x 65 cm de largo
- Tela de algodón verde a topos blancos de 80 cm de ancho x 10 cm de largo
- Cinta grosgrain de 1 cm de ancho x 1,50 m de largo
- 1 cordón verde de Ø 5 cm y 1,10 m de largo
- Hilo a juego

INSTRUCCIONES:

Cortar

Tela estampada: 2 x delantero y trasero de 40 cm de ancho y 50 cm de largo, incluido 1 cm de margen de costura, con las esquinas inferiores ligeramente redondeadas a su gusto; 2 x soporte de 40 cm de ancho y 12 cm de largo, incluido 1 cm de margen de costura.

Tela a topos: 2 x 40 cm de ancho y 10 cm de largo, incluido 1 cm de margen de costura.

1 Cosa las telas del delantero y trasero, derecho con derecho, dejando abierto el borde superior. Después sobrehíle el margen de costura con punto zigzag o con la máquina de overlock.

2 Fije las telas de soporte con alfileres, derecho con derecho. Corte la cinta grosgrain por la mitad y fije dos extremos entre las dos piezas de soporte, a 6 cm del borde superior desde la derecha. Cosa los extremos cortos del soporte de modo que formen un aro. Abra los márgenes de costura con la plancha. Sobrehíle el borde inferior del soporte.

3 Fije el soporte al borde superior de la bolsa, derecho con derecho, cosa el contorno y planche el soporte hacia el interior de la bolsa.

4 Cosa dos ojales de 1 cm de largo en una de las tiras de tela a topos. Los ojales deben quedar centrados, separados 3 cm entre sí. Superponga las dos tiras de tela a topos, derecho con derecho, y cosa los extremos para formar un aro. Abra los márgenes de costura con la plancha. Doble 1 cm hacia dentro el borde superior y el inferior y plánchelos.

5 Fije con alfileres el aro de tela a topos al exterior de la bolsa, a 7 cm del borde superior, y al mismo tiempo fije también el soporte equitativamente. Cosa el borde superior e inferior del aro de tela con un pespunte ajustado al borde. Después pespuntee una costura, justo encima y debajo de los ojales, para pasar el cordón. Tenga mucho cuidado de no coser por encima de la cinta grosgrain. Por último, pase el cordón con la ayuda de un imperdible y anude los extremos.

Neceser con botones

En este bonito neceser puede guardar tubos, polveras, botellitas y muchísimas otras cosas. Está confeccionado a partir de botoneras de viejas blusas y camisas, por lo que siempre será una pieza única.

Medidas: 30 x 22 cm

Grado de dificultad: 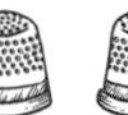  

NECESITARÁ:

- 5 o 6 blusas y camisas viejas
- Tejido de algodón impermeabilizado o hule de 52 cm de ancho x 32 cm de largo
- 1 cremallera de plástico de 30 cm de largo
- Hilo a juego

INSTRUCCIONES:

Cortar

Las botoneras de las blusas y de las camisas, cada una con 1 cm de margen de costura. Puede utilizar tanto el lado de los botones como el de los ojales.

2 x extensión de la cremallera: 3 cm de ancho y 3,5 cm de largo, incluido 1 cm de margen de costura.

1 Coloque las botoneras una junto a otra en la secuencia que prefiera. Coloque el margen de costura debajo de la siguiente botonera. Organice las botoneras de modo que la superficie final mida 32 cm de ancho. Después, cosa una tira a otra con un pespunte ajustado al borde. Reduzca el largo de la superficie a 52 cm.

2 Ponga las extensiones de la cremallera derecho con derecho, encima y debajo del final de la cremallera y cósalas a 1 cm por encima de la cremallera. Doble los trozos de tela hacia atrás. Cosa la cremallera a los lados cortos de la superficie de las botoneras.

3 Ahora abra la cremallera y cosa las costuras laterales del neceser derecho con derecho. Una las esquinas inferiores del neceser y cósalas en diagonal a 4 cm de la punta para obtener un fondo.

4 Para hacer el forro, doble la tela de algodón o el hule y únalo a las costuras laterales con un pespunte, derecho con derecho. En uno de los lados deje una abertura en el centro para darle la vuelta. Cosa las esquinas como se ha indicado. Coloque el forro derecho con derecho sobre la cremallera y cósalo, si es posible, a la costura ya existente. Dele la vuelta al neceser a través de la abertura en el lateral de algodón y ciérrela con unas puntadas a mano.

NECESITARÁ:

Patrones de la pág. 128

- 1 sudadera con capucha fucsia
- 1 blusa o blusón floreados
- 1 camisa a cuadros fucsias y blancos o tela de algodón para usar de forro, 1 m de ancho x 70 cm de largo
- 2 asas de bambú de Ø 26 cm
- Hilo a juego

Bolso a partir de una sudadera

Este alegre bolso, además de tener un bonito aspecto, puede complementar un atuendo romántico. Alberga espacio suficiente como para llevar lo necesario para el día a día. Si se prefiere un aspecto deportivo, puede confeccionarse con una sudadera azul combinada con una camisa a rayas o a cuadros.

Medidas: 40 x 48 cm

Grado de dificultad:   

INSTRUCCIONES:

Cortar

Sudadera con capucha (delantero con bolsillo): 1 x delantero, con la tela doblada, incluido 1 cm de margen de costura.

Sudadera con capucha (espalda): 1 x trasero, con la tela doblada, incluido 1 cm de margen de costura.

Sudadera con capucha (capucha): 2 x pieza superior con la tela doblada, incluido 1 cm de margen de costura

Blusa o blusón: 1 x trasero con la tela doblada; 2 x pieza superior, con la tela doblada, incluido 1 cm de margen de costura; botonera decorativa con margen de costura para coserla, de 13 cm de largo.

Tela de algodón: 1 x delantero, con la tela doblada; 2 x trasero, con la tela doblada, incluido 1cm de margen de costura.

1 Cosa los delanteros a lo largo de la boca del bolsillo, derecho con derecho. Recorte el margen de costura y planche el borde. Cosa el delantero al trasero de blusa por las marcas con un pespunte ajustado al borde. Coloque los traseros derecho con derecho y cósalos, dejando el borde superior abierto. Cierre también el forro derecho con derecho, pero deje abierto el borde superior y una abertura en la parte inferior para darle la vuelta.

2 Cosa un trozo de la botonera de la blusa en el centro de una de las piezas superiores como adorno. Cosa cada pieza superior de sudadera a una floreada, por el borde superior, derecho con derecho, y plánchela. Doble los lados cortos 1 cm hacia dentro y plánchelos. Coloque las asas de bambú entre las capas de tela y cosa las telas dejando 3 cm entre ambas costuras. Cosa los lados cortos con un pespunte ajustado al borde dejando abierto el último centímetro.

3 Cosa las piezas superiores en fucsia al borde superior del bolso, derecho con derecho. Cosa del mismo modo las piezas floreadas al forro a cuadros, derecho con derecho. Utilice la abertura del fondo para dar la vuelta a la pieza. Por último, cierre la abertura con unas cuantas puntadas a mano.

Funda de top para el jarrón

¿No tiene un jarrón apropiado? Estas fundas de confección rápida convierten sencillas botellas de vidrio en jarrones para flores con mucho estilo. Se confeccionan con tops veraniegos o con blusas, por lo que puede elegir el motivo que mejor se adapte a su decoración.

Medidas: aprox. 25 cm de largo

Grado de dificultad:   

NECESITARÁ (PARA CADA FUNDA):
Patrón de la pág. 127

- 1 top viejo
- Entretela termoadhesiva semirrígida de 40 cm de ancho x 35 m de largo
- 1 botella de vidrio o un jarrón de unos 24 cm de alto e hilo a juego

INSTRUCCIONES:

Cortar

Top (del delantero y la espalda):

2 x funda de jarrón, con la tela doblada, incluido 1 cm de margen de costura.

Entretela: 2 x funda de jarrón, con la tela doblada, incluido 1 cm de margen de costura.

1 Refuerce las piezas con la entretela. Coloque las dos piezas derecho sobre derecho y cosa los bordes laterales. Recorte los márgenes de costuras de las partes redondeadas.

2 Sobrehíle el borde superior e inferior con punto zigzag o con la máquina de overlock. Doble los bordes hacia dentro por las líneas de doblez, plánchelos y pespuntéelos.

Sugerencia

Puede ampliar el patrón con la fotocopiadora para adaptarlo a botellas y recipientes más grandes. Un conjunto de jarrones de diferentes tamaños llama mucho la atención.

Portavelas con encaje

Este portavelas hecho con una blusa con encaje y un tarro de conservas proporciona una atmósfera agradable tanto a la terraza en verano como al alféizar de la ventana en invierno. La luz brilla a través de la fina tela de algodón y del encaje, proyectando sombras parpadeantes.

Medidas: 18 cm de alto, Ø 12 cm

Grado de dificultad:   

NECESITARÁ:
Patrón de la pág. 117

- 1 blusa con encaje vieja
- 1 tarro de conservas de 18 cm de alto y Ø 39 cm
- Hilo a juego

INSTRUCCIONES:

Cortar

Blusa (de la espalda, en paralelo al centro): 42 cm de ancho y 18 cm de largo, 1 x fondo, incluido el margen de costura.

Separar 42 cm de encaje (unos 3 cm de ancho).

Separar la aplicación de encaje circular.

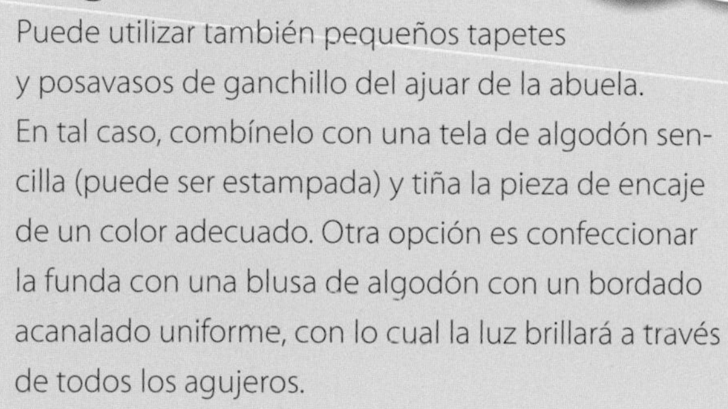

Sugerencia

Puede utilizar también pequeños tapetes y posavasos de ganchillo del ajuar de la abuela. En tal caso, combínelo con una tela de algodón sencilla (puede ser estampada) y tiña la pieza de encaje de un color adecuado. Otra opción es confeccionar la funda con una blusa de algodón con un bordado acanalado uniforme, con lo cual la luz brillará a través de todos los agujeros.

1 Hilvane la aplicación de encaje centrada en la tela de blusa y cósala con un punto zigzag pequeño. Después, con unas tijeras finas, recorte la tela de debajo del encaje, a ras del zigzag.

2 Cosa a pespunte los lados cortos de la tira, derecho con derecho, dejando 1 cm de margen de costura. Sobrehíle la costura con punto zigzag o con la máquina de overlock y plánchela. Cosa el fondo al tubo de tela, derecho con derecho. Sobrehíle también la costura.

3 Doble el borde superior dos veces 5 mm hacia dentro, plánchelo y pespuntéelo. Cosa los bordes cortos de la cinta de encaje, derecho con derecho, con 1 cm de margen de costura, plánchela y después cósala al borde superior de la funda con un pespunte ajustado al borde. Introduzca el tarro de conserva.

Flores multiusos

¡Estas flores no se marchitan nunca! Además son muy versátiles y quedan muy bonitas, ya sea como decoración sobre una cómoda, de acerico para las modistas más entusiastas o como original adorno para el envoltorio de un regalo.

Medidas: 13 x 13 cm o 10 x 10 cm

Grado de dificultad:   

NECESITARÁ:
Patrones de la pág. 121

- 1 pañuelo de seda o un resto de tela de 35 cm de ancho x 20 cm de largo
- Entretela termoadhesiva semirrígida de 35 cm de ancho x 20 cm de largo
- 2 botones de Ø 1-2 cm
- Hilo para bordar de color similar
- Guata de relleno e hilo a juego

INSTRUCCIONES:

Cortar

Primero refuerce el pañuelo o el resto de tela con la entretela.

2 x flor, incluidos 7 mm de margen de costura.

1 Cosa el contorno de las piezas de la flor, derecho con derecho, dejando una abertura para darle la vuelta. Dele la vuelta a la flor a través de la abertura. Rellene la flor generosamente con guata y cosa la abertura con unas puntadas a mano.

2 Enhebre una aguja de ojo grande con el hilo de bordar, iguale el hilo para coser doble y anude los extremos. Atraviese la flor con la aguja por el centro y vaya bordando los pétalos uno a uno. Pinche siempre la aguja en el centro de la flor y tense bien el hilo después de cada puntada para darle forma a la flor.

3 Para acabar, cosa un botón en el centro de la cara superior y de la cara inferior de cada flor.

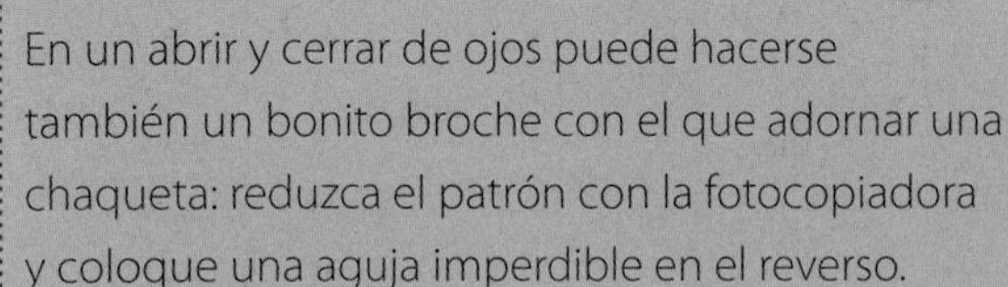

Sugerencia

En un abrir y cerrar de ojos puede hacerse también un bonito broche con el que adornar una chaqueta: reduzca el patrón con la fotocopiadora y coloque una aguja imperdible en el reverso.

Cojín de patchwork

¡La mezcla de colores ya hace la mitad del trabajo! En este cojín de patchwork puede combinar sus colores favoritos para alegrar un simple sofá o una butaca.

Medidas: 40 x 40 cm

Grado de dificultad:   

NECESITARÁ:

- Tela de algodón verde floreada de 70 cm de ancho x 45 cm de largo
- Tela de algodón de color arena estampada de 80 cm de ancho x 15 cm de largo
- Tela de algodón a rayas azules y blancas de 70 cm de ancho x 15 cm de largo
- 1 cremallera de color similar de 30 cm de largo
- 1 cojín de plumas de 40 x 40 cm
- Hilo a juego

INSTRUCCIONES:

Cortar

(Consejo: utilice una regla o un cartabón y un jaboncillo de sastre para cortar en paralelo al orillo de la tela).

Tela floreada: 1 x trasero de 42 cm de ancho y 42 cm de largo; 5 x 12 cm de ancho y 12 cm de largo, incluido 1 cm de margen de costura.

Tela estampada: 6 x 12 cm de ancho y 12 cm de largo, incluido 1 cm de margen de costura.

Tela a rayas: 5 x 12 cm de ancho y 12 cm de largo, incluido 1 cm de margen de costura.

Sugerencia

Puede cambiar el número de telas a su gusto, siempre y cuando corte un total de 16 cuadrados de 12 x 12 cm.

1 Sobrehíle el contorno de todas las piezas con punto zig-zag o con la máquina de overlock. Coloque los cuadrados uno junto a otro en la secuencia que prefiera. Trabaje hilera a hilera, montando tiras de 4 cuadrados cada una, cosiendo exactamente a 1 cm del borde, derecho con derecho. Abra los márgenes de costura con la plancha.

2 Cosa las cuatro tiras una junto a otra por el lado largo, derecho con derecho, confeccionando una superficie total de 42 x 42 cm. Hilvane primero las costuras para evitar desplazamientos.

3 Coloque la cremallera abierta y centrada, derecho con derecho, sobre cada uno de los bordes inferiores de la funda. Cósala tan cerca de los dientes de la cremallera como pueda. Cierre un poco la cremallera y cosa los bordes del contorno de la funda, empezando por el principio de la cremallera, con las telas derecho con derecho. Ponga la funda del derecho y plánchela.

NECESITARÁ: Patrones de la pág. 120

Casita decorativa 1 (izquierda):

- Tela de algodón amarilla estampada, 70 x 20 cm
- Tela de algodón a cuadros rosas y blancos, 25 x 20 cm
- Tela de algodón rosa, 80 x 25 cm
- Entretela termoadhesiva semirrígida, 80 x 25 cm
- Cinta al bies rosa con topos blancos, 1 cm x 70 cm
- Cinta de volantes a cuadros rosas y blancos, 1,5 x 40 cm
- 1 botón a cuadros rosas y blancos de Ø 2 cm
- 1 lazo a cuadros rosas y blancos
- 6 florecitas fucsias de Ø 7 mm
- Hilo a juego

Casita decorativa 2 (derecha):

- Tela de algodón rosa floreada, 70 x 15 cm
- Tela de algodón a cuadros rosas y verdes, 25 x 20 cm
- Tela de algodón fucsia, 95 x 20 cm
- Entretela termoadhesiva semirrígida, 90 cm x 20 cm
- Cinta al bies a cuadros rosas y blancos, 1 x 65 cm
- Cinta de encaje blanca, 1,5 x 45 cm
- 1 lazo a cuadros rosas y blancos
- 3 rosas fucsias de 7 mm
- Hilo a juego

Casitas decorativas

Puede confeccionar estas casitas de ensueño completamente a su gusto. Atraerán las miradas hacia el alféizar de la ventana, y aportarán una atmósfera acogedora a cualquier habitación.

Medidas:
Casita 1: 15 x 20 x 10 cm
Casita 2: Ø 16 cm, 20 cm de alto

Grado de dificultad:   

INSTRUCCIONES:

Cortar

Casita decorativa 1

Tela estampada: 2 x delantero y trasero; 2 x lateral, 1 con la puerta recortada, incluido 1 cm de margen de costura.
Tela a cuadros: 1 x tejado, con la tela doblada, incluido 1 cm de margen de costura.
Tela rosa: 2 x delantero y trasero; 2 x lateral, uno con la puerta recortada; 1 x tejado, con la tela doblada, incluido 1 cm de margen de costura.
Entretela: 2 x delantero y trasero; 2 x lateral, uno con la puerta recortada; 1 x tejado, con la tela doblada, incl. 1 cm de margen.

Casita decorativa 2

Tela de algodón floreada: 6 x lateral, uno con la puerta recortada, incluido 1 cm de margen de costura.

Tela de algodón a cuadros: 1 x tejado, con la tela doblada, incluido 1 cm de margen de costura.

Tela de algodón rosa: 6 x lateral, uno con la puerta recortada; 1 x tejado, con la tela doblada, incl. 1 cm de margen.

Entretela: 6 x lateral, uno con la puerta recortada; 1 x tejado, con la tela doblada, incluido 1 cm de margen de costura.

1 Refuerce las piezas de tela estampada con la entretela.

Casita decorativa 1

2 Superponga un delantero y trasero rosa a cada delantero y trasero estampado, derecho con derecho. Con un lápiz, dibuje la ventana en el revés de la tela y cosa esa línea. Recorte el centro de la ventana, en la tela estampada recorte hasta la costura y en la tela rosa corte desde el centro en diagonal hasta las esquinas. Doble la tela rosa hacia dentro y plánchela.

3 Coloque el tejado a cuadros sobre la pieza estampada, derecho con derecho, ponga el volante entre ambas telas y cierre la costura. Cosa el tejado rosa al delantero y trasero rosas, derecho con derecho. Proceda igual con ambos lados del tejado.

4 Coloque los laterales derecho con derecho, meta la parte de la casa cosida entre ellos y cosa los dos laterales uno a uno, de abajo a la punta del tejado. Dele la vuelta a la casita.

Casita decorativa 2

2 Coloque tres de los laterales floreados sobre los laterales fucsia, derecho con derecho. Con un lápiz dibuje la ventana en el revés de la tela y cosa esa línea. Recorte el centro de la ventana, en la tela estampada recorte hasta la costura y en la tela rosa corte desde el centro en diagonal hasta las esquinas. Doble la tela rosa hacia dentro y plánchela.

3 Vaya colocando los laterales sin ventana floreados superpuestos a los rosa, derecho con derecho y, entre ellos, inserte un lateral con ventana. En cada segundo lateral, tire de la tela a través de la abertura superior o inferior. Cosa la cinta de encaje a 1 cm del borde superior, con un pespunte ajustado al borde del encaje, por todo el contorno de la casita.

4 Coloque los tejados derecho con derecho y cósalos por las líneas de costura marcadas. Después plánchelo. A continuación, inserte un tejado en el otro, derecho con derecho, y coloque la casita en medio. Cosa todo el contorno de la casita, recorte el margen de costura y dele la vuelta.

Acabado de las casitas: Cubra el portal y el borde inferior de cada casita con la cinta al bies. Fije las florecitas, botones, lacitos y rosas a cada casita con unas puntadas a mano.

Bolsa de agua del rey rana

Este atrevido rey rana es ideal para los fríos días de invierno. La bolsa de agua caliente que llena su barriga es el agradable sustituto de un príncipe azul durante las tardes de tele y sofá.

Medidas: 24 x 40 cm

Grado de dificultad:   

NECESITARÁ: Patrones de las págs. 126-127

- Tela de forro polar verde claro de 60 cm de ancho x 40 cm de largo
- Tela de forro polar amarilla de 50 cm de ancho x 20 cm de largo
- Entretela termoadhesiva semirrígida de 90 cm de ancho x 80 cm de largo
- Restos de fieltro blanco, verde oscuro y rojo
- 1 bolsa de agua caliente
- Hilo a juego

INSTRUCCIONES:

Cortar:

Forro polar verde: 1 x delantero del cuerpo, con la tela doblada; 1 x trasero superior del cuerpo, con la tela doblada; 1 x trasero inferior del cuerpo, con la tela doblada, incluido 1 cm de margen de costura.

Forro polar amarillo: 4 x corona, con la tela doblada, incluido 1 cm de margen de costura.

Entretela: 1 x delantero del cuerpo, con la tela doblada; 1 x trasero superior del cuerpo, con la tela doblada; 1 x trasero inferior del cuerpo, con la tela doblada; 4 x corona, con la tela doblada, incluido 1cm de margen de costura.

Fieltro blanco: 2 x ojo.

Fieltro verde: 2 x pupila; 2 x nariz.

Fieltro rojo: 1 x corazón de la boca.

1 Refuerce las piezas de tela con la entretela. Cosa las pupilas a los ojos con punto de ojal. Cosa los ojos, la nariz y la boca al delantero del cuerpo también con punto de ojal. Doble los bordes rectos de las piezas traseras 2,5 cm hacia dentro y plánchelos. Hilvane las partes del cuerpo de la rana derecho con derecho. Los bordes de la abertura para la botella de agua caliente se solapan 2,5 cm. Cosa el contorno de la rana, dejando sin coser el borde recto de la parte superior en el que va la corona.

2 Superponga las piezas de la corona de dos en dos, derecho con derecho, y cosa los lados. Coloque una corona dentro de otra, derecho con derecho, y cosa las puntas. Recorte los márgenes de costura ajustados y córtelos en las esquinas. Dele la vuelta a la corona.

3 Hilvane la corona al cuerpo de la rana, derecho con derecho, y cosa el contorno. Doble la corona hacia arriba e introduzca la botella de agua caliente en la barriga de la rana.

Caracol musical

No todo el mundo tiene una caja de música con forma de caracol, ¡y menos así de mono! Este regalo entusiasmará tanto al bebé como a la mamá.

Medidas: 28 x 16 cm

Grado de dificultad:   

NECESITARÁ:
Patrones de la pág. 121

- Tela de algodón a cuadros azules y blancos de 70 cm de ancho x 25 cm de largo
- Tela de algodón blanca con topos de colores de 50 cm de ancho x 20 cm de largo
- Tela de algodón a cuadros rosas y blancos de 15 cm de ancho x 10 cm de largo
- Entretela termoadhesiva semirrígida de 90 cm de ancho x 45 cm de largo
- Mecanismo musical
- Guata de relleno
- Hilo de bordar rosa para los ojos y la boca
- Hilo a juego

INSTRUCCIONES:

Cortar

Tela a cuadros azules y blancos: 2 x cuerpo, incluidos 7 mm de margen de costura.

Tela a topos: 2 x caracola, incluidos 7 mm de margen de costura.

Tela a cuadros rosas y blancos: 4 x antena, incluidos 7 mm de margen de costura; 1 x cinta para colgar, 4 cm de ancho y 10 cm de largo.

Entretela: 2 x cuerpo, 2 x caracola, 4 x antena, incluidos 7 mm de margen de costura.

1 Refuerce las piezas de tela con la entretela. Superponga las piezas de las antenas de dos en dos, derecho con derecho, y cosa el contorno excepto los lados cortos. Recorte los márgenes de costura y dele la vuelta a las antenas. Después hilvánelas a la cabeza del caracol, derecho con derecho.

2 Cosa cada caracola al cuerpo, derecho con derecho, por la marca correspondiente. Doble los bordes largos de la cinta para colgar hacia el centro y plánchela; después dóblela por la mitad longitudinalmente y cósala a ras del borde. Doble la cinta para colgar por la mitad e hilvánela por la marca correspondiente a la caracola.

3 Cosa el caracol derecho con derecho, dejando una abertura para darle la vuelta en la parte inferior, en la barriga. Recorte los márgenes de costura y córtelos en las curvas. Dele la vuelta al caracol, rellénelo con guata, pero deje espacio para el mecanismo musical. Introduzca el mecanismo en el cuerpo y cierre la abertura con unas puntadas a mano, dejando que cuelgue fuera el cordón para activar el mecanismo. Borde los ojos y la boca.

Muñeco de trapo

Este alegre compañero a rayas es un magnífico acompañante del bebé para cualquier momento del día, para abrazarlo en la camita o para jugar con él en el parque. Sus coloridas orejas lo convierten en un perfecto oyente.

Medidas: 23 x 18 cm

Grado de dificultad:   

NECESITARÁ: Patrones de la pág. 118

- Felpa a rayas amarillas y naranjas de 40 cm de ancho x 40 cm de largo
- Tela de algodón blanca con topos de colores de 25 cm de ancho x 20 cm de largo
- Tela de algodón a cuadros naranjas y blancos de 15 cm de ancho x 10 cm de largo
- Tela de forro polar amarilla de 15 cm de ancho x 10 cm de largo
- Entretela termoadhesiva semirrígida de 90 cm de ancho x 40 cm de largo
- Restos de fieltro naranja y fucsia para los ojos y las pupilas e hilo para bordar fucsia
- Guata de relleno e hilo a juego

INSTRUCCIONES:

Cortar

Felpa a rayas: 2 x delantero y trasero superior, con la tela doblada; 1 x trasero inferior, con la tela doblada, incluidos 7 mm de margen de costura.

Tela a topos: 1 x delantero inferior, con la tela doblada; 2 x oreja, incluidos 7 mm de margen de costura.

Tela a cuadros: 2 x brazo; 1 x oreja, incluidos 7 mm de margen de costura.

Forro polar: 2 x brazo; 1 x oreja, incluidos 7 mm de margen de costura.

Entretela: 2 x delantero y trasero superior, con la tela doblada; 2 x delantero y trasero inferior, con la tela doblada; 4 x oreja; 4 x brazo, incluidos 7 mm de margen de costura.

Fieltro naranja: 1 x ojo, 1 x pupila.

Fieltro fucsia: 1 x ojo, 1 x pupila.

1 Refuerce las piezas de tela con la entretela. Cosa las piezas de las orejas derecho con derecho: una de cuadros con una de topos, y una de topos con una de forro polar. Cosa las piezas de los brazos, emparejadas del mismo modo, derecho con derecho. En todas deje una abertura en el lado recto para darles la vuelta. Gire las piezas y rellénelas con guata.

2 Cosa las pupilas a los ojos con punto de ojal y después los ojos a la parte delantera con el mismo punto. Cosa las piezas superior e inferior del delantero, derecho con derecho. Cosa las piezas superior e inferior del trasero derecho con derecho, dejando una abertura para dar la vuelta.

3 Cosa los brazos y las orejas al delantero por los lugares marcados, derecho con derecho, con un pespunte ajustado al borde. Coloque el trasero sobre el delantero, derecho con derecho, y cosa el contorno. Corte el margen de costura de las curvaturas. Dele la vuelta y rellénelo con guata. Cierre la abertura con unas puntadas a mano y borde la boca.

Puf monstruo

No se preocupe: este monstruo no sembrará el pánico en la habitación de los niños, sino que se convertirá en un compañero de juegos. Su blando relleno permite que los niños lean cómodamente en cualquier posición o que simplemente ganduleen.

Medidas: Ø 1 m, 1,10 m de alto

Grado de dificultad:   

NECESITARÁ: Patrones de las págs. 122-123

- Tela de algodón verde de 1,20 x 1,20 m
- Tela de algodón azul a topos verdes de 1,20 m de ancho x 2,20 m de largo
- Tela de algodón estampada con piruletas de 80 cm de ancho x 60 cm de largo
- Entretela termoadhesiva semirrígida de 1,20 m de ancho x 3,80 m de largo
- Fieltro blanco de 60 cm de ancho x 20 cm de largo
- Fieltro negro de 45 cm de ancho x 10 cm de largo
- Guata de relleno e hilo a juego
- Bolas de poliestireno pequeñas, 30 litros

INSTRUCIONES:

Cortar

Tela verde: 1 x cuerpo, con la tela doblada, incluido 1 cm de margen de costura.

Tela a topos: 1 x cuerpo, con la tela doblada; 1 x fondo, con la tela doblada (atención: doblada dos veces), incluido 1cm de margen de costura.

Tela estampada: 1 x barriga, con la tela doblada, incluido 1 cm de margen de costura.

Fieltro blanco: 2 x ojo, 3 x diente.

Fieltro negro 2 x pupila, 1 x boca.

Entretela: 2 x cuerpo, con la tela doblada; 1 x barriga, con la tela doblada; 1 x fondo, con la tela doblada (atención: doblada dos veces), incluido 1 cm de margen de costura.

1 Refuerce las piezas de tela con la entretela. Cosa las pupilas a los ojos con punto de ojal. Hilvane los ojos, la boca, los dientes y la barriga al delantero del asiento y cosa el contorno de cada pieza también con punto de ojal.

2 Coloque el delantero y el trasero del puf derecho con derecho y cosa el contorno, dejando abierta la parte inferior y la abertura marcada para darle la vuelta. Corte el margen de costura de las esquinas y las curvaturas. Recorte el margen de costura en las orejas.

3 Coloque la parte superior cosida sobre el fondo, derecho con derecho, y cosa el contorno. Dele la vuelta al puf a través de la abertura.

4 Rellene el monstruo como prefiera, con guata y las bolitas de poliestireno. Para acabar, cierre la abertura con unas cuantas puntadas a mano.

Circo organizador

¡Adelante! A partir de ahora, los leones, las jirafas y los elefantes guardarán los tesoros del cuarto de los niños, ¡y ordenar se convertirá en una diversión! Esta colorida carpa de circo es una alegre y original decoración para las paredes de cualquier hogar.

Medidas: 68 x 68 cm

Grado de dificultad:   

INSTRUCCIONES:

Cortar

Tela roja con rayas en zigzag: 1 x centro del tejado, con la tela doblada; 2 x lateral del tejado, incluido 1 cm de margen de costura.

Tela a rayas: 1 x pieza superior de la carpa, con la tela doblada; 1 x pieza inferior de la carpa, con la tela doblada.

Tela roja: 1 x punta del tejado, con la tela doblada; 1 x bandera.

Tela con jirafas: 2 x bolsillo 1, con la tela doblada, incluido 1 cm de margen de costura.

Tela con elefantes: 2 x bolsillo 1, con la tela doblada, incluido 1 cm de margen de costura.

Tela con leones: 1 x bolsillo 1, con la tela doblada; 1 x bolsillo 2, con la tela doblada, incluido 1 cm de margen de costura.

Entretela: 1 x centro del tejado, con la tela doblada; 2 x lateral del tejado, 1 x pieza superior de la carpa, con la tela doblada; 1 x pieza inferior de la carpa, con la tela doblada; 1 x punta del tejado, con la tela doblada; 1 x bandera.

1 Refuerce las piezas de tela con la entretela. Doble los bordes laterales de los bolsillos 1 cm hacia dentro y los bordes superiores por las marcas, y plánchelos. Cosa un trozo de cinta de encaje en los bordes superiores de cada bolsillo, doblando el principio y el final hacia dentro. Cosa los dos lados de cada bolsillo a la pieza superior e inferior de la carpa con un pespunte ajustado al borde.

2 Cosa los laterales del tejado al centro del tejado, derecho con derecho. Abra los márgenes de costura con la plancha y pespuntee las costuras por ambos lados desde fuera.

3 Solape todas las piezas por las líneas de junta marcadas, ponga la entretela de cenefas debajo y corte el contorno. Cosa las piezas con un punto zigzag estrecho superando los bordes. Cosa el resto de la cinta de encaje en la junta del tejado y la carpa.

4 Cosa la cinta al bies al contorno de la pieza con un pespunte ajustado al borde, doblando los extremos hacia dentro. Doble la bandera por la mitad y cosa los bordes abiertos con punto zigzag. Inserte el mondadientes con cuidado primero en la bandera, después en la cúspide de la carpa, y fíjelo con unas puntadas a mano. Monte los ojetes en los lugares marcados.

NECESITARÁ: Patrones de las págs. 124-125

- Tela de algodón roja a rayas en zigzag de 70 x 40 cm
- Tela de algodón a rayas rojas y blancas de 75 x 50 cm
- Tela de algodón roja de 15 x 15 cm
- Tela de algodón estampada con jirafas de 50 x 25 cm
- Tela de algodón estampada con elefantes de 50 x 25 cm
- Tela de algodón estampada con leones de 55 x 25 cm
- Entretela termoadhesiva semirrígida de 90 x 80 cm
- Entretela para cenefas de 70 x 70 cm
- Cinta de encaje roja de 1 cm x 1,90 m
- Cinta al bies roja de 1 cm x 2,50 m
- 3 ojetes dorados de Ø 1,1 cm, y herramienta para ojetes
- 1 mondadientes
- Hilo a juego

Estuche ratón tejano

¡Yupi! ¡Primer día de cole! Este divertido estuche en forma de ratón con ojos móviles y cola roja hará que ir al colegio sea muy fácil. Abra la cremallera y el pequeño enseguida tendrá guardados los lápices, la goma y el sacapuntas, para tenerlos a punto en todo momento.

Medidas: 18 x 23 x 4 cm

Grado de dificultad:   

NECESITARÁ: Patrones de la pág. 127

- 1 camisa tejana vieja
- 1 falda a topos vieja o tela de algodón a topos de 1 m de ancho x 30 cm de largo
- Entretela termoadhesiva semirrígida de 90 cm de ancho x30 cm de largo
- 1 cremallera de plástico roja de 25 cm de largo
- 1 cordel rojo de 15 cm de largo
- 2 ojos móviles de Ø 1 cm
- Resto de fieltro rojo de 6 cm de ancho x 4 cm de largo y resto de lana roja
- Hilo a juego

INSTRUCCIONES:

Cortar

Camisa tejana (p. ej., la espalda): 1 x fondo, con la tela doblada; 2 x pieza superior, con la tela doblada, incluido 1 cm de margen de costura.

Falda o tela a topos: 1 x fondo, con la tela doblada; 1 x lateral, 66 cm de ancho y 6 cm de largo, incluido 1 cm de margen de costura.

Entretela: 1 x fondo, con la tela doblada; 2 x pieza superior sin doblar la tela; 1 x lateral, 66 cm de ancho y 6 cm de largo, incluido 1 cm de margen de costura.

Fieltro: 1 x nariz.

1 Refuerce las piezas de la falda con la entretela. Sobrehíle los bordes rectos de las piezas superiores con punto zigzag o con la máquina de overlock. Pespuntee la cremallera 5 mm en los bordes. Cierre la cremallera y fije la nariz en el lugar correspondiente. Cosa la nariz al borde superior con punto de ojal. Corte el final de cremallera sobrante.

2 Cosa el lateral por los lados cortos derecho con derecho. Sobrehíle la costura. Cosa el lateral al contorno de la parte superior del ratón, derecho con derecho, y sobrehíle los márgenes de costura.

3 Coloque el fondo a topos sobre el fondo tejano, revés con revés, y cosa el contorno de ambas piezas con una costura ajustada al borde. Ponga la cola de cordón en el derecho de la tela. Abra la cremallera y cosa el contorno del fondo a la parte inferior del lateral, derecho con derecho. Sobrehíle la costura con punto zigzag o con la máquina de overlock.

4 Peque los ojos móviles. Corte el resto de lana en seis trozos y atraviese la tela con ellos para formar los bigotes. Haga un nudo allí donde la lana toca la tela.

Patrones

Alegre agarrador cocina, págs. 68-69
Ampliar al 200 %

Agarrador de cocina
Pieza superior
2 x tela estampada
2 x tela a topos
4 x entretela termoadhesiva
2 x entretela de guata
incl. 1 cm de margen de costura

Organizador de cocina, págs. 70-71
Ampliar al 200 %

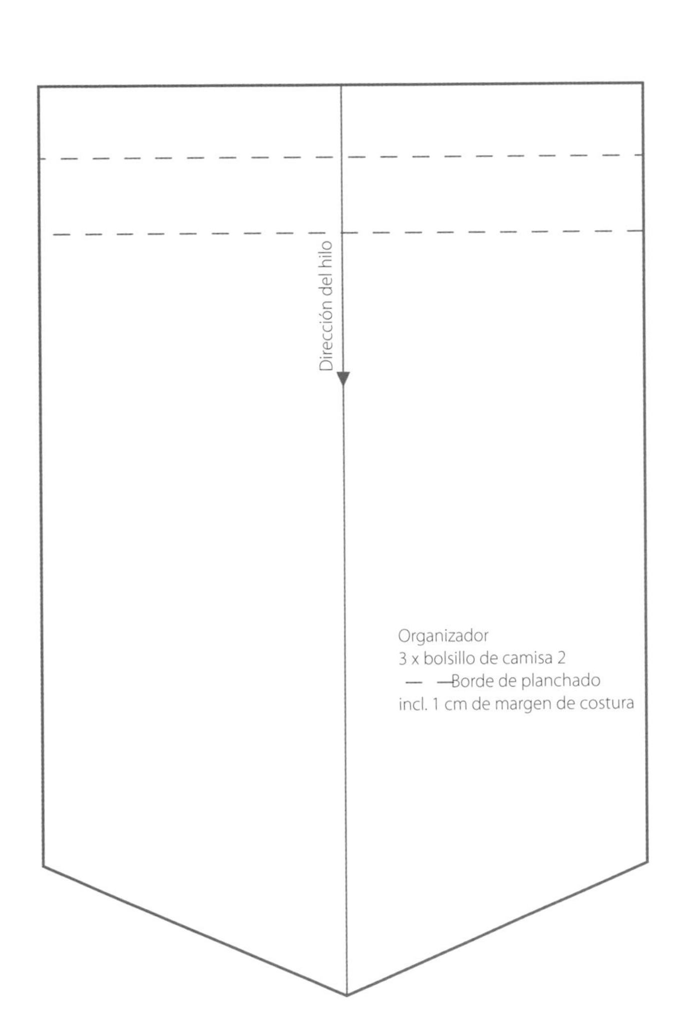

Cupcakes decorativos, págs. 74-75
Ampliar al 200 %

Bolso tejano chic, págs. 76-77
Ampliar al 400 %

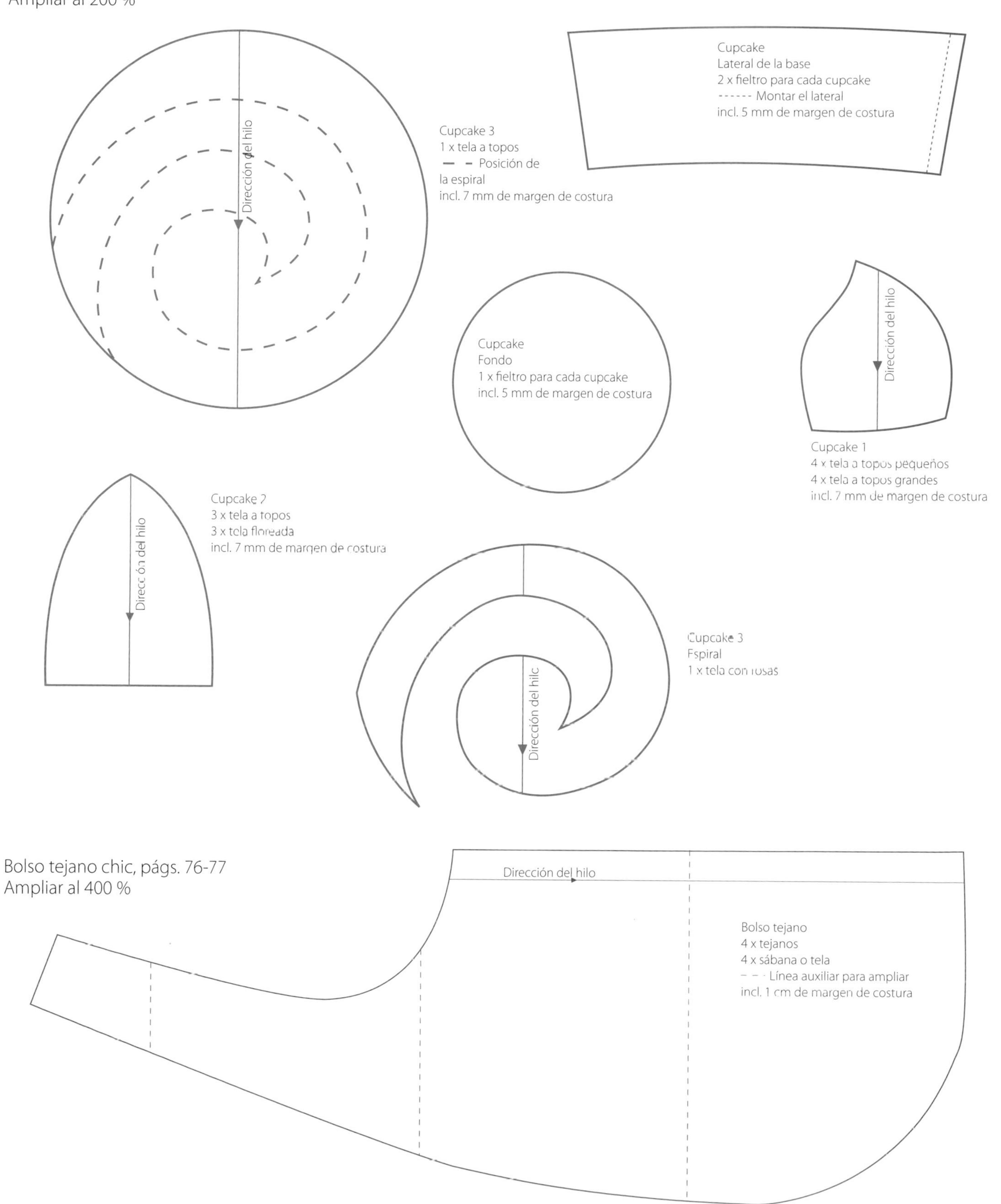

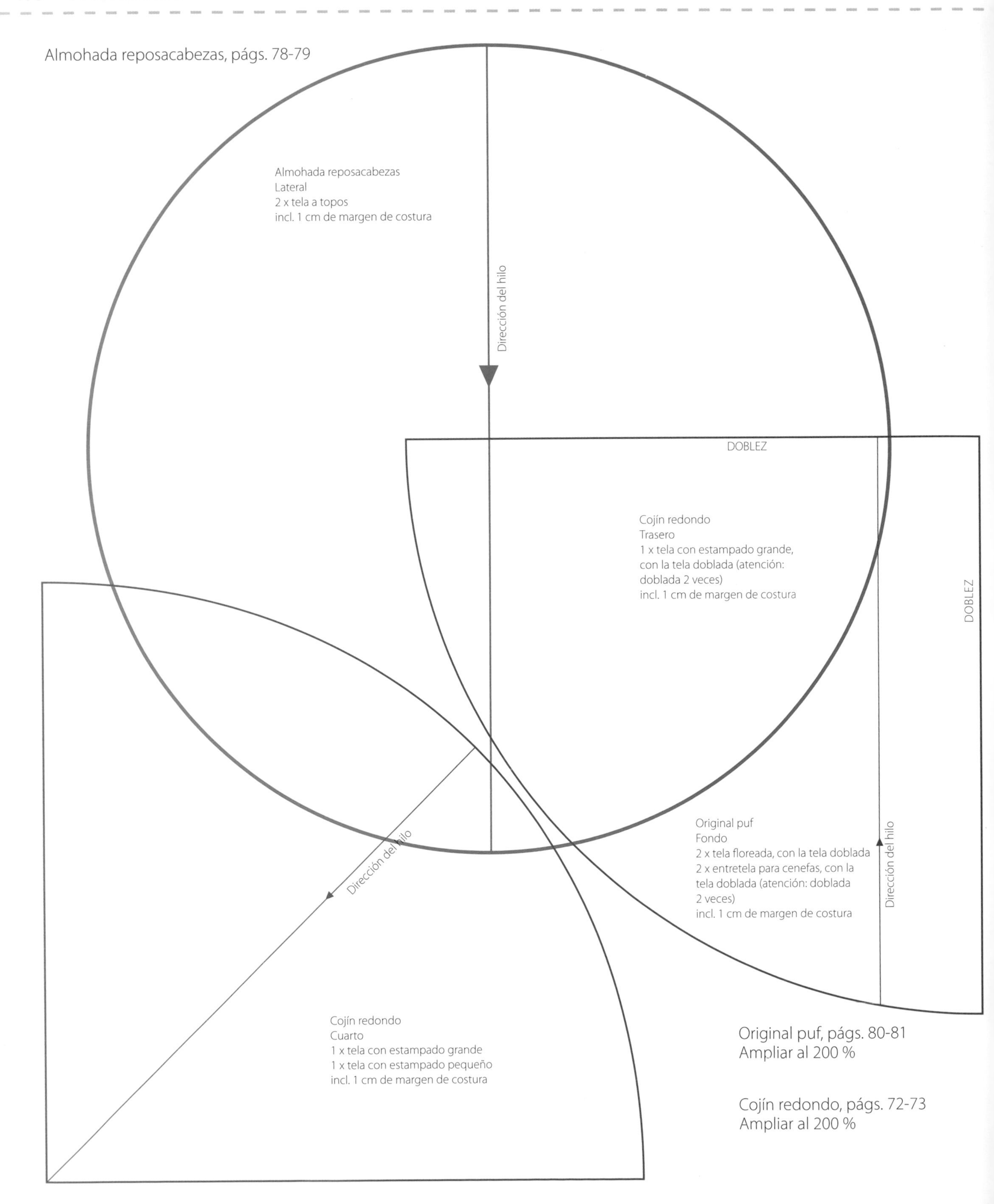
Almohada reposacabezas, págs. 78-79
Almohada reposacabezas
Lateral
2 x tela a topos
incl. 1 cm de margen de costura
Dirección del hilo
DOBLEZ
Cojín redondo
Trasero
1 x tela con estampado grande, con la tela doblada (atención: doblada 2 veces)
incl. 1 cm de margen de costura
DOBLEZ
Original puf
Fondo
2 x tela floreada, con la tela doblada
2 x entretela para cenefas, con la tela doblada (atención: doblada 2 veces)
incl. 1 cm de margen de costura
Dirección del hilo
Dirección del hilo
Cojín redondo
Cuarto
1 x tela con estampado grande
1 x tela con estampado pequeño
incl. 1 cm de margen de costura
Original puf, págs. 80-81
Ampliar al 200 %
Cojín redondo, págs. 72-73
Ampliar al 200 %

Cojín redondo, págs. 72-73
Ampliar al 200 %

Octavo
1 x tela con estampado grande
1 x tela con estampado pequeño
1 x tela fucsia
1 x tela rosa
incl. 1 cm de margen de costura

Dirección del hilo

Cubierta del botón
1 x tela con estampado pequeño
1 x entretela termoadhesiva

Dirección del hilo

Portavelas con encaje, págs. 94-95

Fondo
1 x blusa
– – Línea de costura
incl. 1 cm de margen de costura

Muñeco de trapo, págs. 106-107

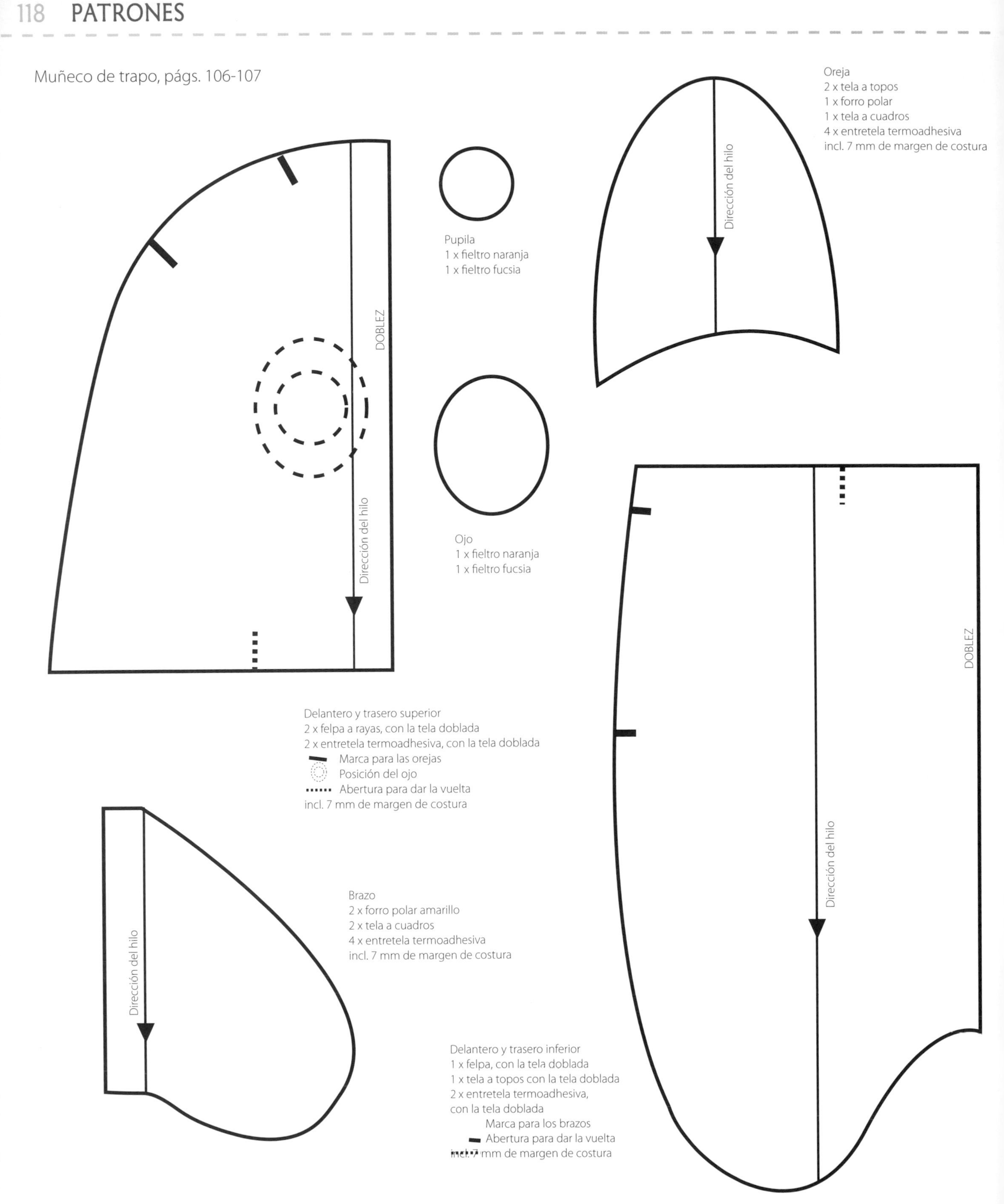
Oreja
2 x tela a topos
1 x forro polar
1 x tela a cuadros
4 x entretela termoadhesiva
incl. 7 mm de margen de costura
Dirección del hilo
Pupila
1 x fieltro naranja
1 x fieltro fucsia
DOBLEZ
Dirección del hilo
Ojo
1 x fieltro naranja
1 x fieltro fucsia
DOBLEZ
Delantero y trasero superior
2 x felpa a rayas, con la tela doblada
2 x entretela termoadhesiva, con la tela doblada
Marca para las orejas
Posición del ojo
Abertura para dar la vuelta
incl. 7 mm de margen de costura
Brazo
2 x forro polar amarillo
2 x tela a cuadros
4 x entretela termoadhesiva
incl. 7 mm de margen de costura
Dirección del hilo
Dirección del hilo
Delantero y trasero inferior
1 x felpa, con la tela doblada
1 x tela a topos con la tela doblada
2 x entretela termoadhesiva,
con la tela doblada
Marca para los brazos
Abertura para dar la vuelta
incl. 7 mm de margen de costura

Faro para el cuarto de baño, págs. 84-85
Ampliar al 400 %

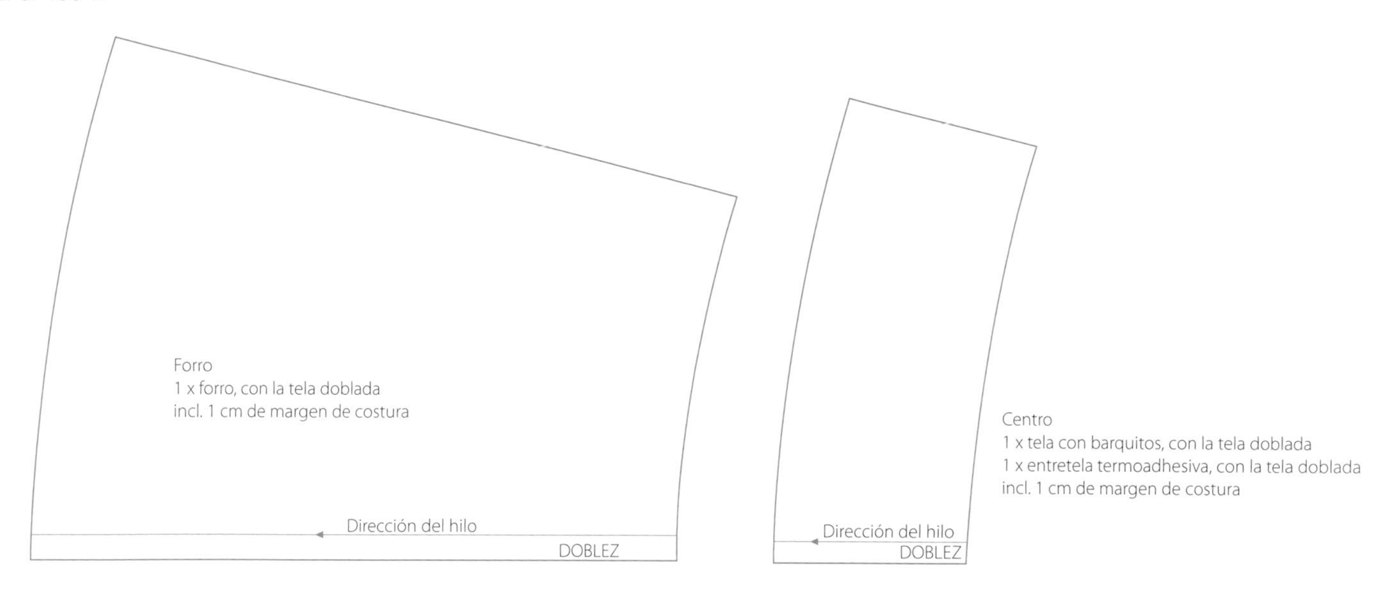

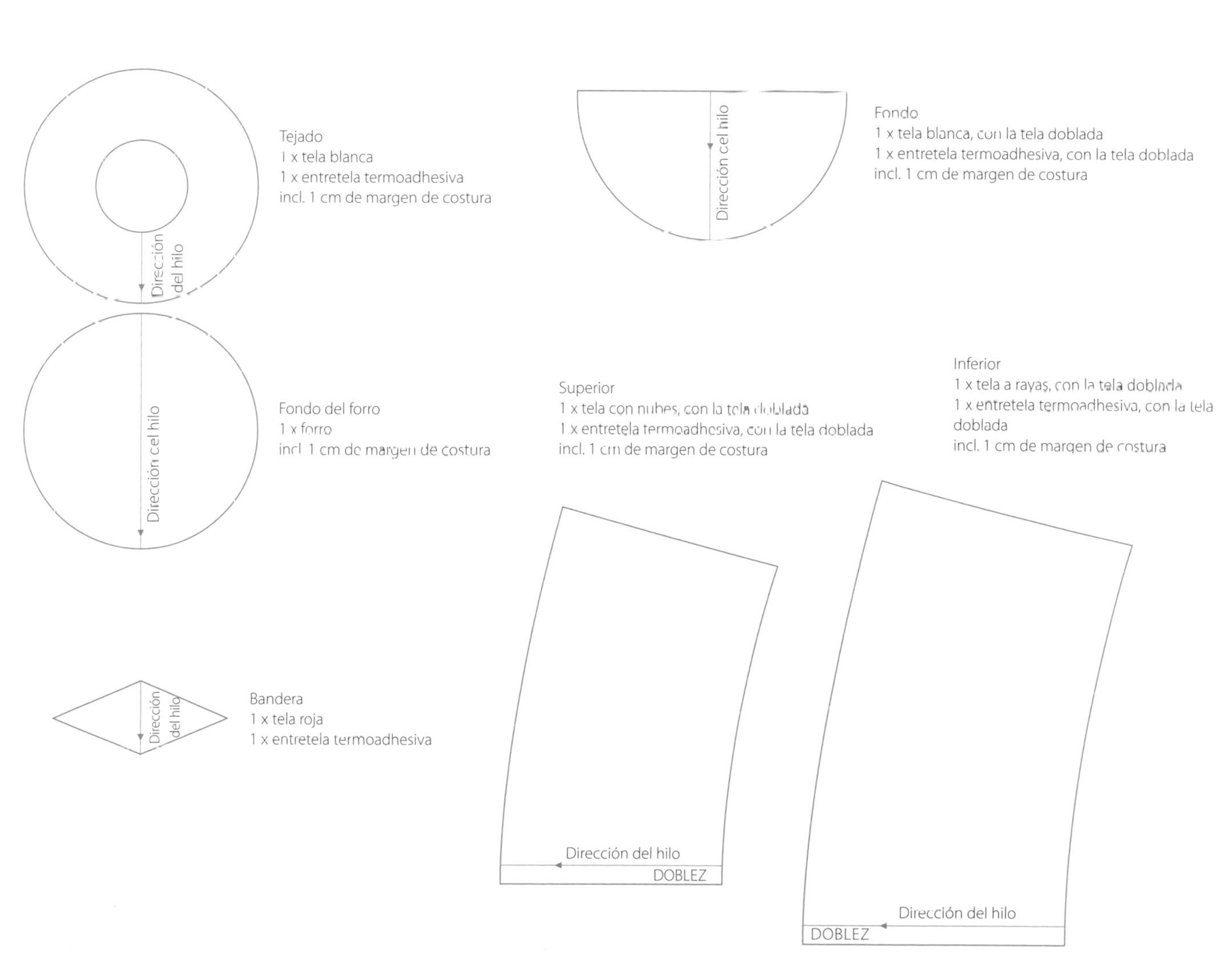

Casitas decorativas, págs. 100-101
Ampliar al 200 %

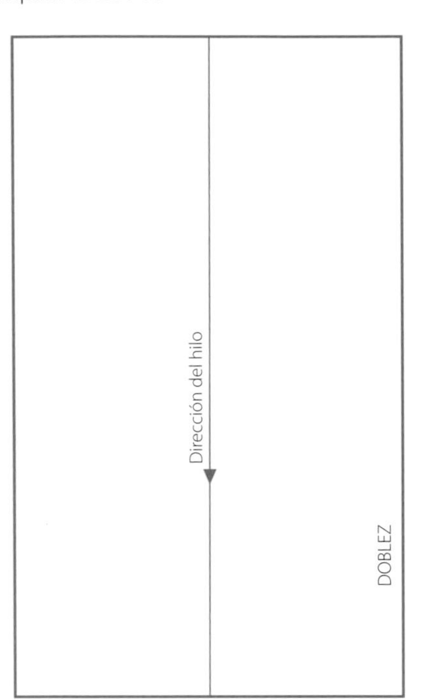

Casita 1
Tejado
1 x tela a cuadros, con la tela doblada
1 x tela rosa, con la tela doblada
1 x entretela termoadhesiva,
con la tela doblada
incl. 1 cm de margen de costura

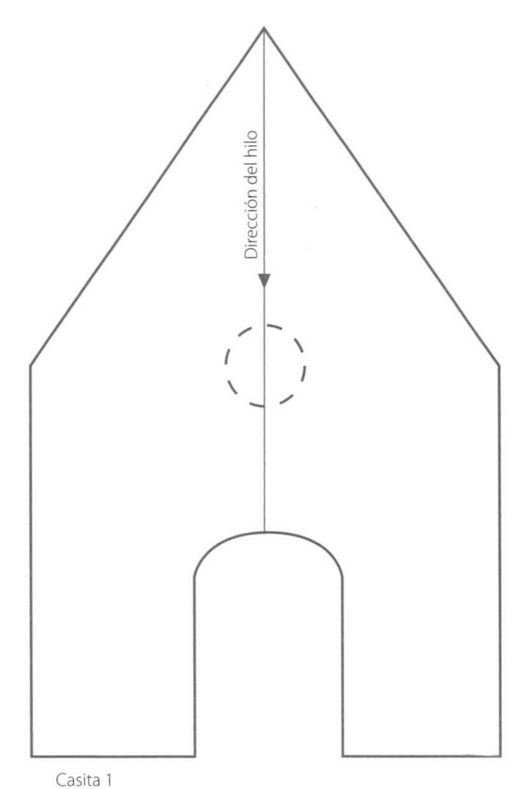

Casita 1
Lateral
2 x tela estampada, 1 con la puerta recortada
2 x tela rosa, 1 con la puerta recortada
2 x entretela, 1 con la puerta recortada
Posición del botón
incl. 1 cm de margen de costura

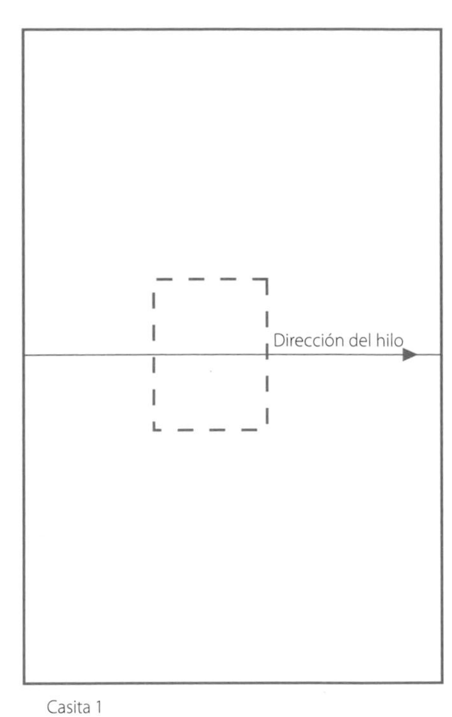

Casita 1
Delantero y trasero
2 x tela estampada
2 x tela rosa
2 x entretela termoadhesiva
Posición de la ventana
incl. 1 cm de margen de costura

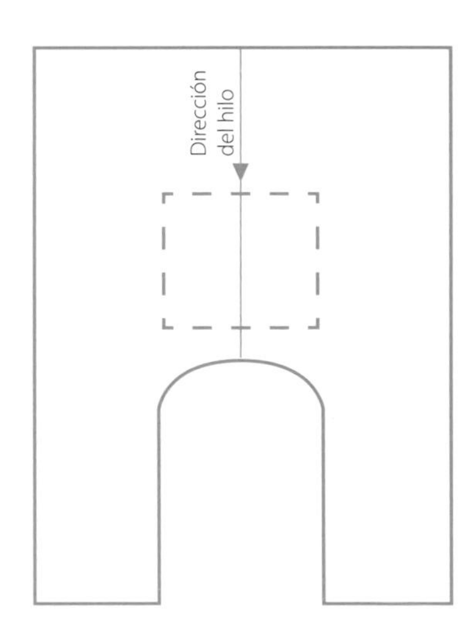

Casita 2
Lateral
6 x tela floreada, 1 con la puerta recortada
6 x tela rosa, 1 con la puerta recortada
6 x entretela, 1 con la puerta recortada
Posición de la ventana
incl. 1 cm de margen de costura

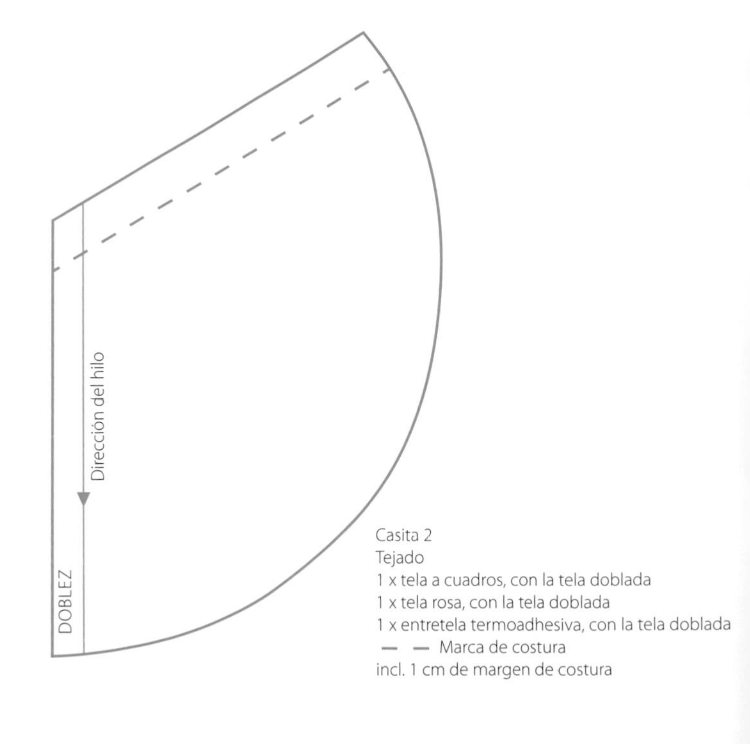

Casita 2
Tejado
1 x tela a cuadros, con la tela doblada
1 x tela rosa, con la tela doblada
1 x entretela termoadhesiva, con la tela doblada
— — Marca de costura
incl. 1 cm de margen de costura

Flores multiusos, págs. 96-97
Ampliar al 200 %

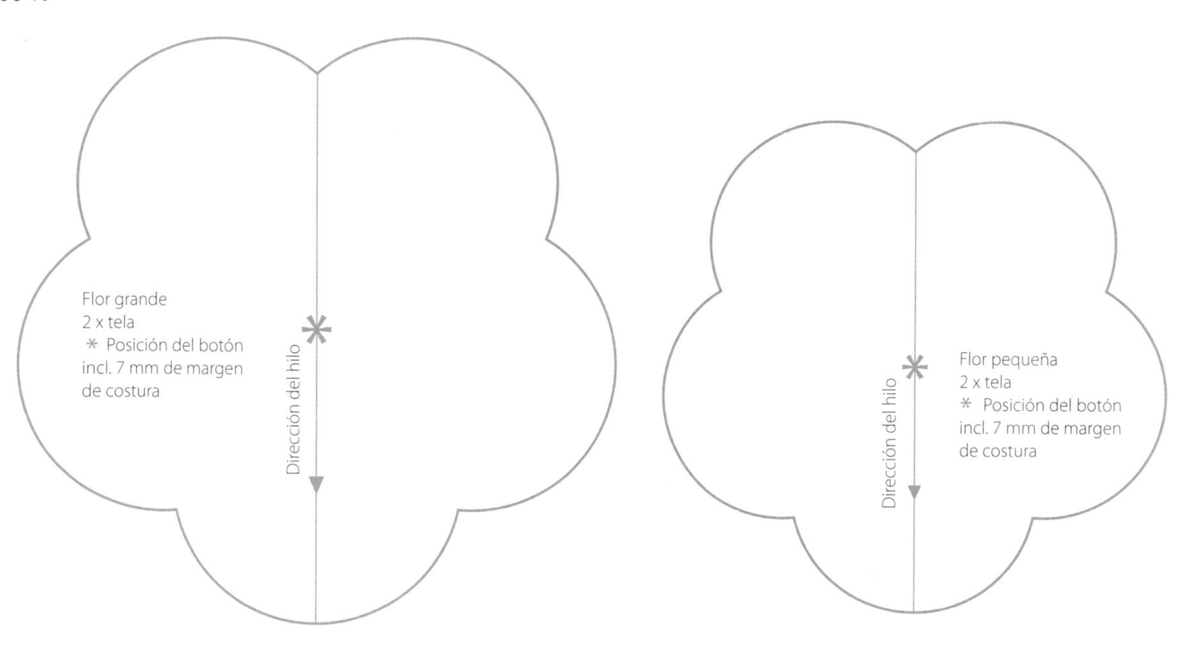

Caracol musical, págs. 104-105
Ampliar al 200 %

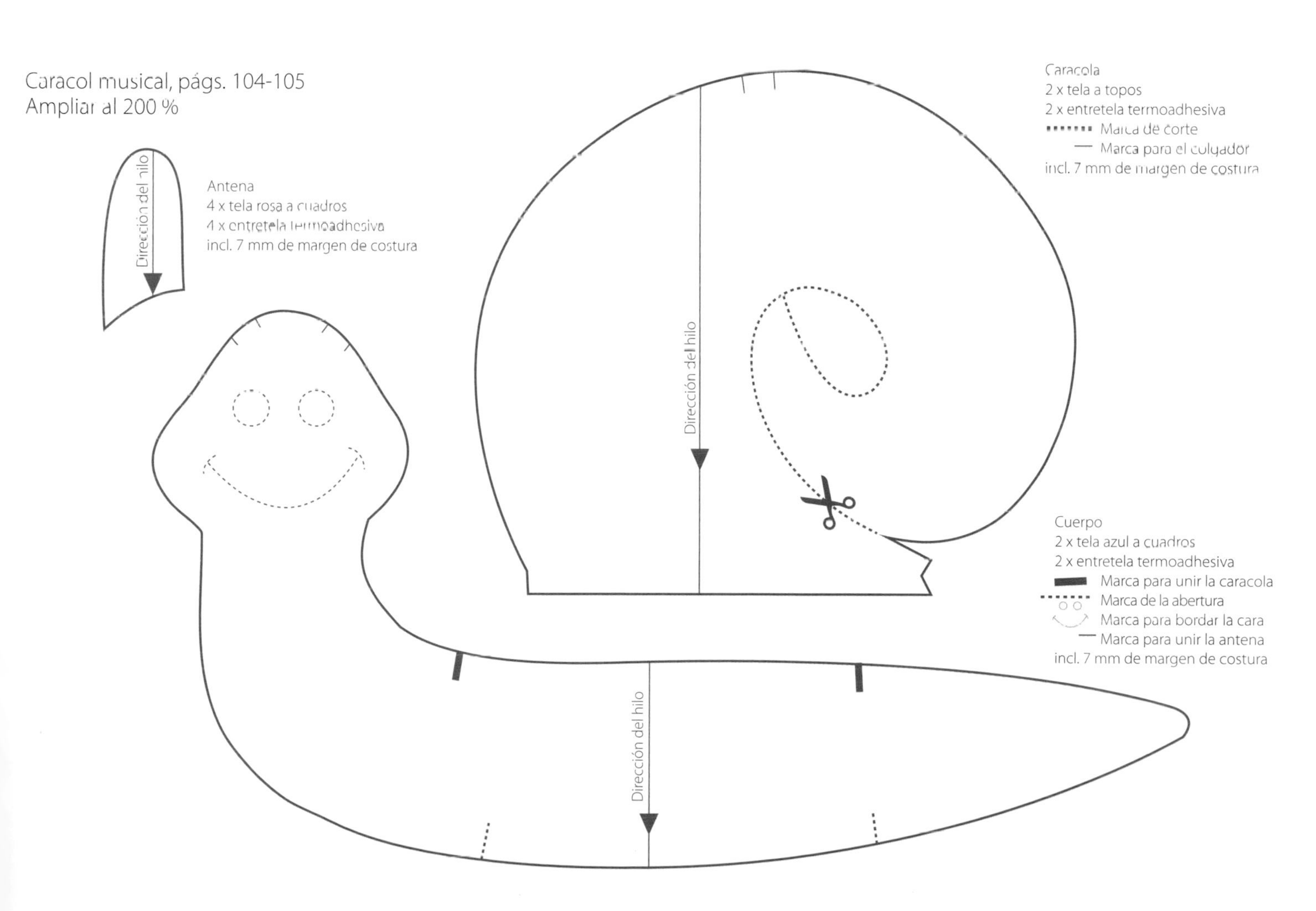

Puf monstruo, págs. 108-109
Ampliar al 400 %

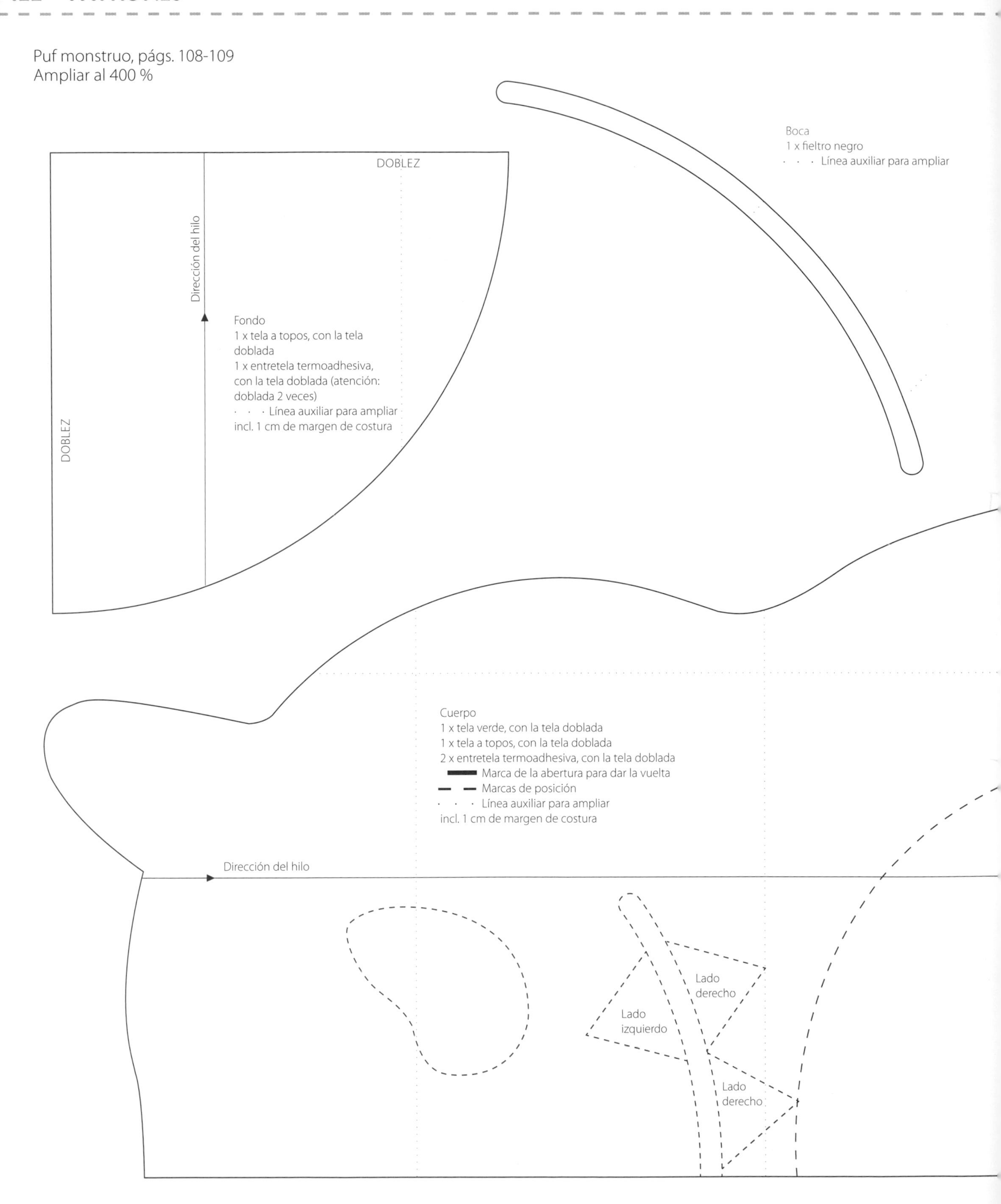
Boca
1 x fieltro negro
· · · Línea auxiliar para ampliar
DOBLEZ
Dirección del hilo
Fondo
1 x tela a topos, con la tela doblada
1 x entretela termoadhesiva, con la tela doblada (atención: doblada 2 veces)
· · · Línea auxiliar para ampliar
incl. 1 cm de margen de costura
DOBLEZ
Cuerpo
1 x tela verde, con la tela doblada
1 x tela a topos, con la tela doblada
2 x entretela termoadhesiva, con la tela doblada
Marca de la abertura para dar la vuelta
Marcas de posición
· · · Línea auxiliar para ampliar
incl. 1 cm de margen de costura
Dirección del hilo
Lado derecho
Lado izquierdo
Lado derecho

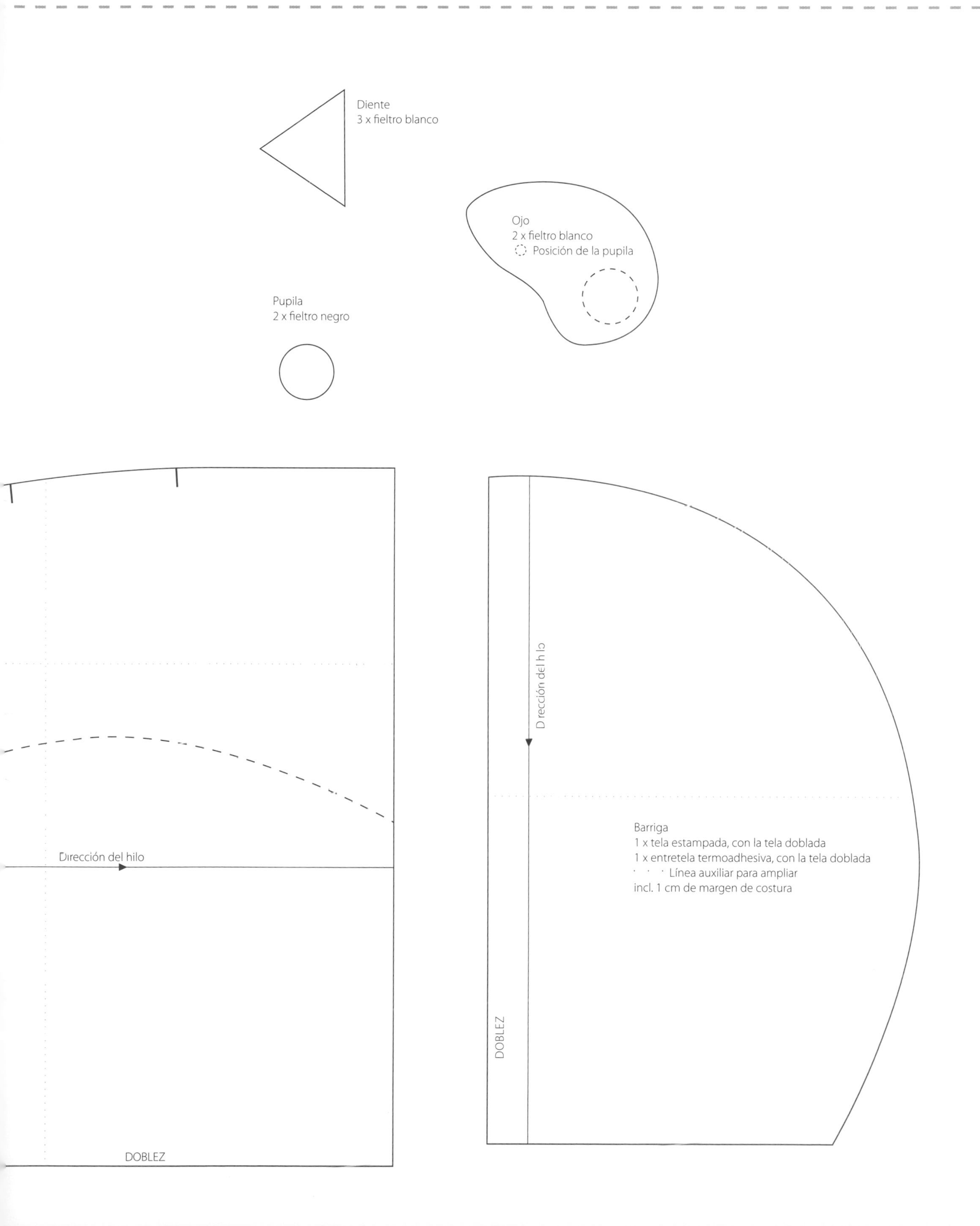
Diente
3 x fieltro blanco
Ojo
2 x fieltro blanco
Posición de la pupila
Pupila
2 x fieltro negro
Dirección del hilo
DOBLEZ
Dirección del hilo
DOBLEZ
Barriga
1 x tela estampada, con la tela doblada
1 x entretela termoadhesiva, con la tela doblada
Línea auxiliar para ampliar
incl. 1 cm de margen de costura

Circo organizador, págs. 110-111
Ampliar al 200 %

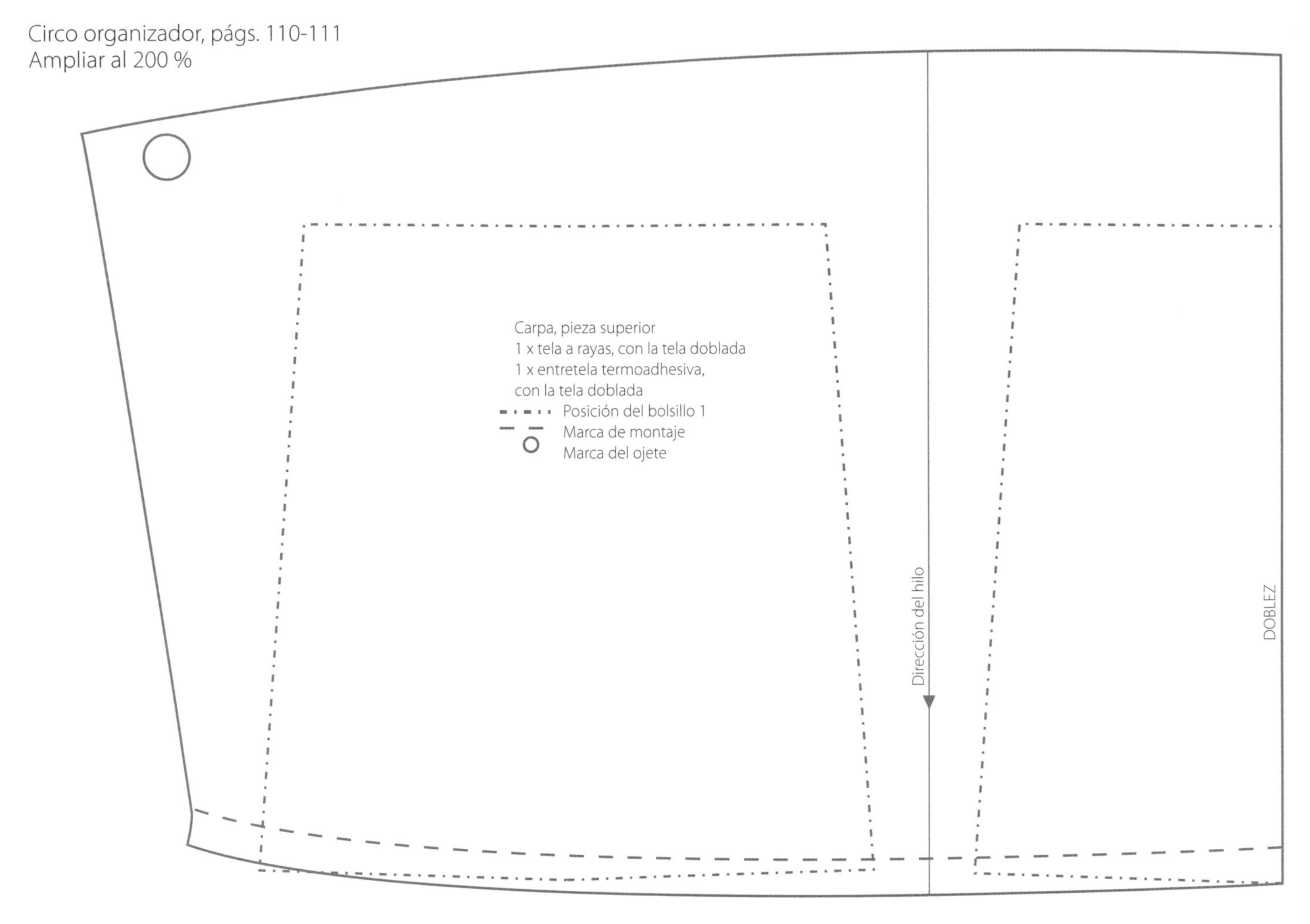
Carpa, pieza superior
1 x tela a rayas, con la tela doblada
1 x entretela termoadhesiva,
con la tela doblada
Posición del bolsillo 1
Marca de montaje
Marca del ojete
Dirección del hilo
DOBLEZ

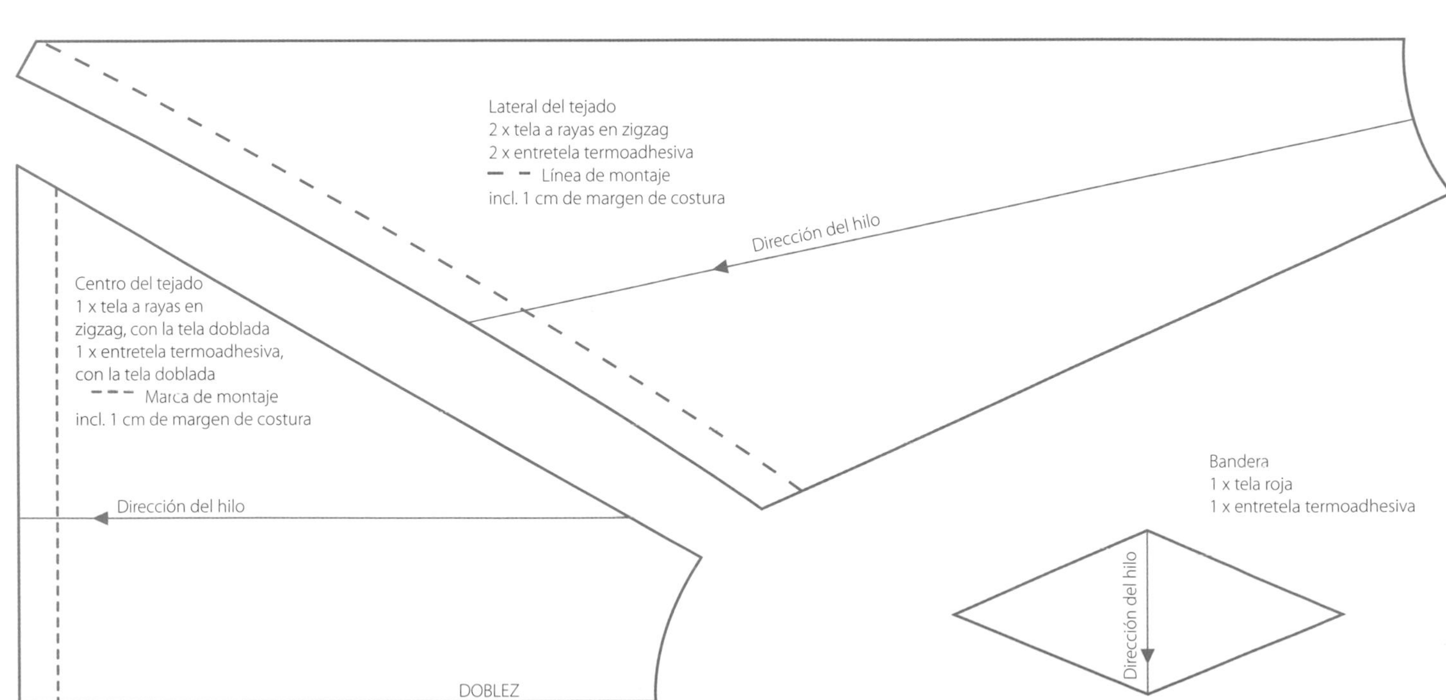
Lateral del tejado
2 x tela a rayas en zigzag
2 x entretela termoadhesiva
Línea de montaje
incl. 1 cm de margen de costura
Dirección del hilo
Centro del tejado
1 x tela a rayas en
zigzag, con la tela doblada
1 x entretela termoadhesiva,
con la tela doblada
Marca de montaje
incl. 1 cm de margen de costura
Dirección del hilo
DOBLEZ
Bandera
1 x tela roja
1 x entretela termoadhesiva
Dirección del hilo

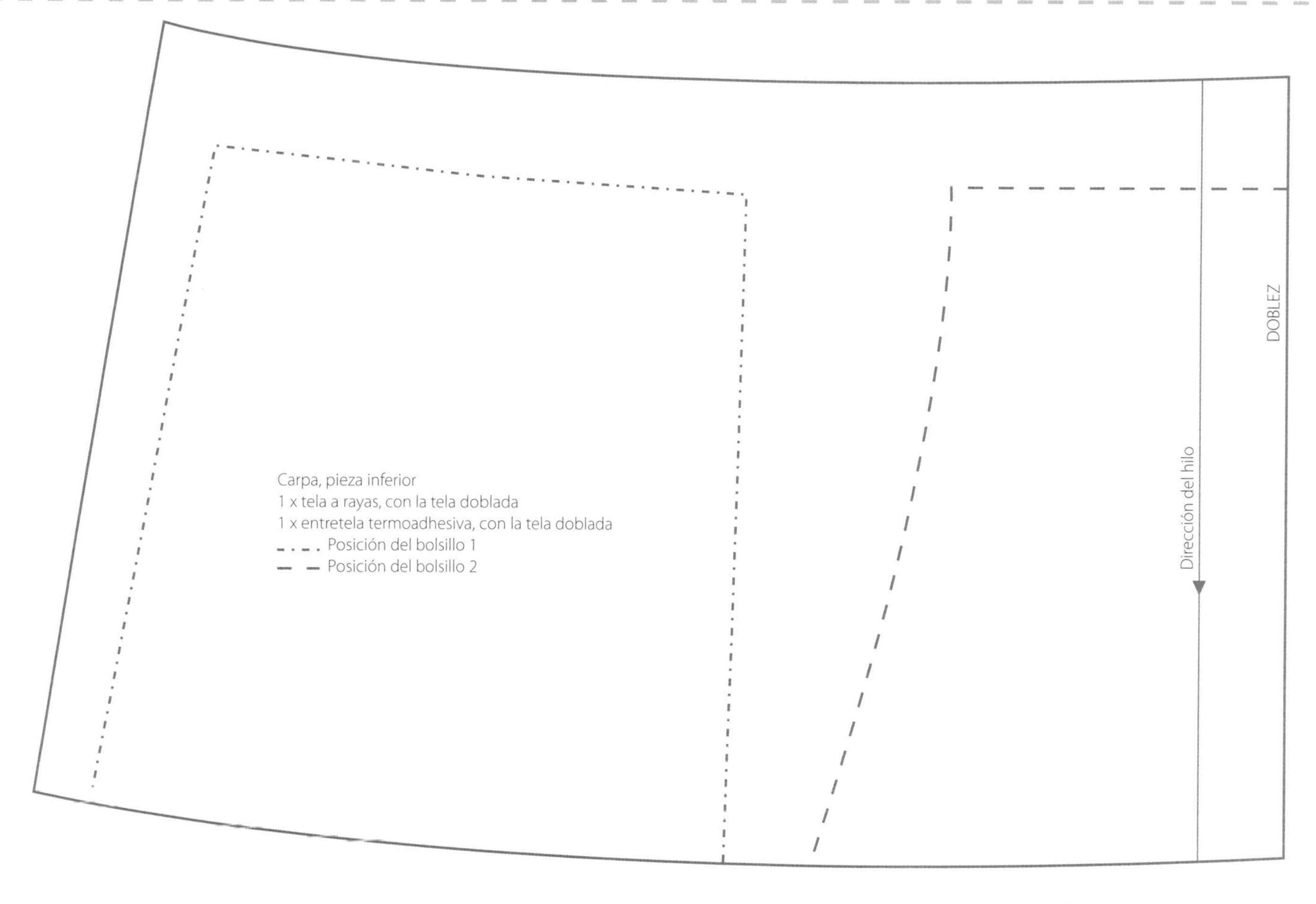

Punta del tejado
1 x tela roja, con la tela doblada
1 x entretela termoadhesiva, con la tela doblada
Marca de montaje
Marca del ojete

Dirección del hilo
DOBLEZ

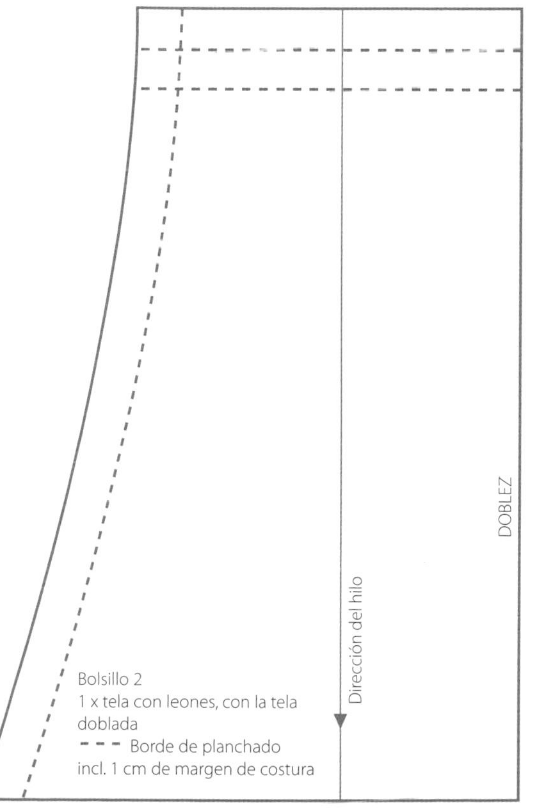

Bolsillo 1
1 x tela con leones, con la tela doblada
2 x tela con jirafas, con la tela doblada
2 x tela con elefantes, con la tela doblada
Borde de planchado
incl. 1 cm de margen de costura

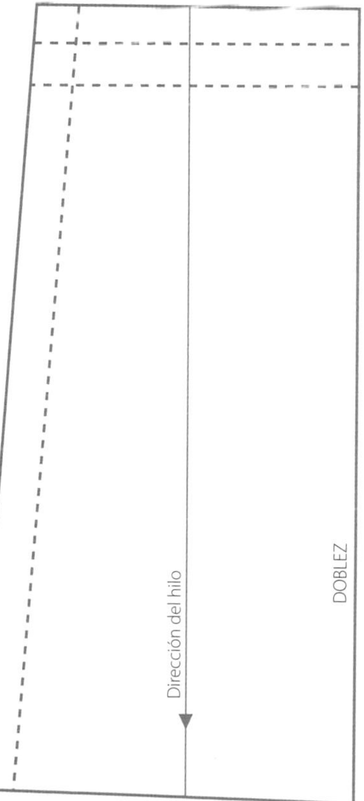

Bolsa de agua del rey rana, págs. 102-103
Ampliar al 200 %

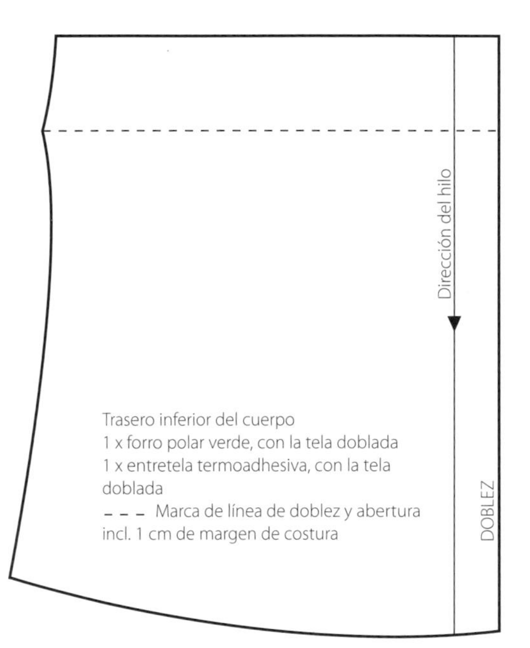

Trasero superior del cuerpo
1 x forro polar verde, con la tela doblada
1 x entretela termoadhesiva, con la tela doblada
– – – Marca de línea de doblez y abertura
incl. 1 cm de margen de costura

DOBLEZ

Dirección del hilo

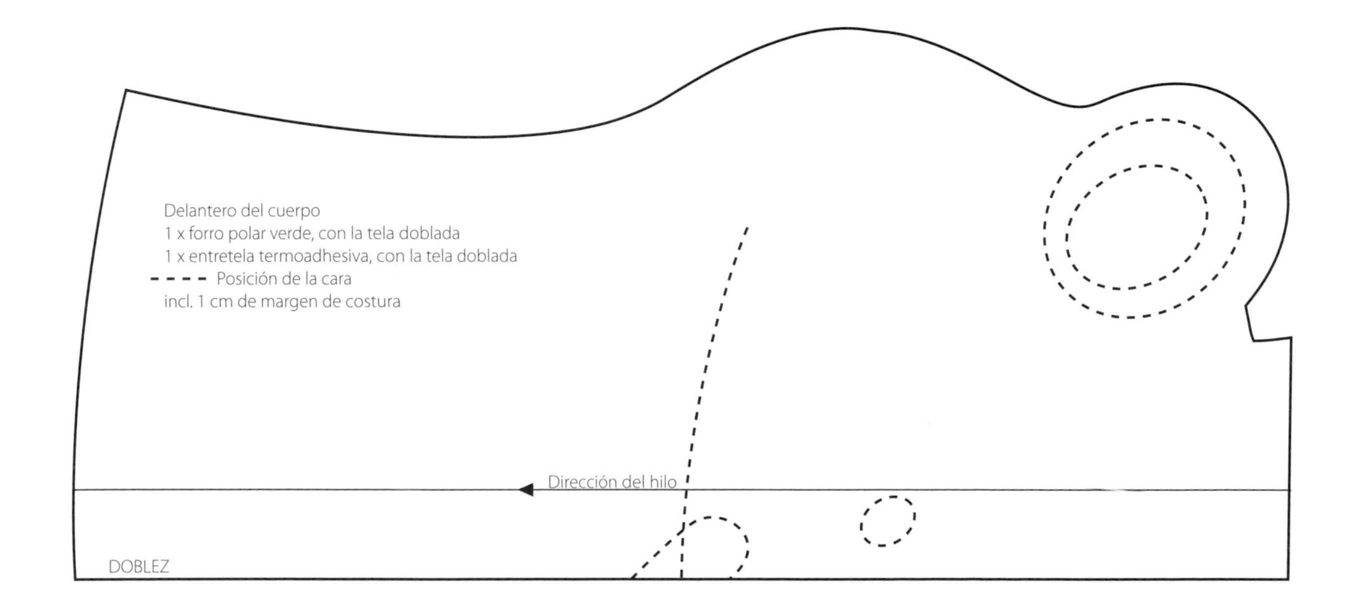

Bolsa de agua del rey rana, págs. 102-103
Ampliar al 200 %

Dirección del hilo

Corona
4 x forro polar amarillo, con la tela doblada
4 x entretela termoadhesiva, con la tela doblada
incl. 1 cm de margen de costura

Ojo
2 x fieltro blanco

Nariz
2 x fieltro verde

Pupila
2 x fieltro verde

Corazón de la boca
1 x fieltro rojo

Funda de top para el jarrón, págs. 92-93
Ampliar al 200 %

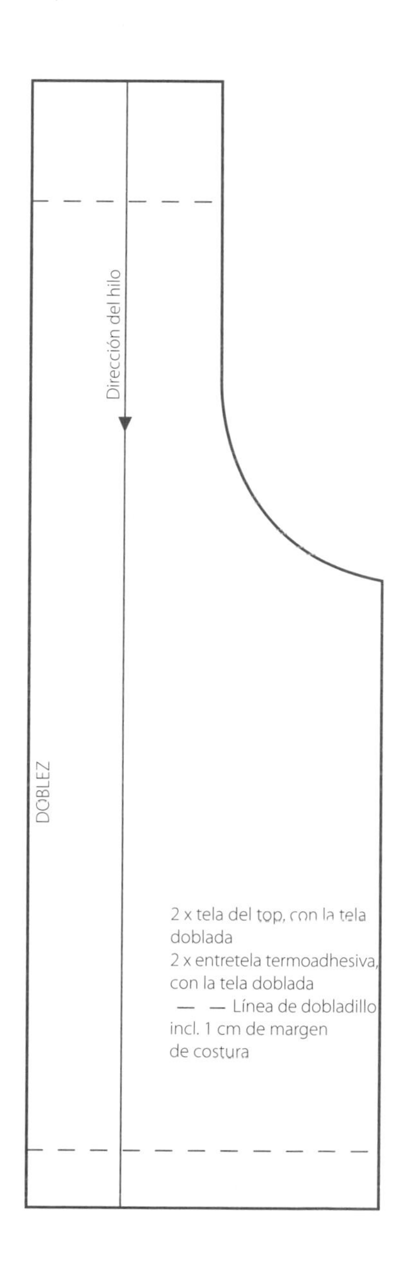

Estuche ratón tejano, págs. 112-113
Ampliar al 200 %

Nariz
1 x fieltro rojo

Pieza superior y fondo
1 x camisa tejana, con la tela doblada
1 x entretela termoadhesiva, con la tela doblada
2 x camisa tejana sin doblar la tela
2 x entretela termoadhesiva sin doblar la tela
1 x falda o tela a topos, con la tela doblada
* Posición de la cola
⦿ Posición del ojo móvil
- - - Posición de la nariz
incl. 1 cm de margen de costura

Dirección del hilo
DOBLEZ

Bolso a partir de una sudadera,
págs. 90-91
Ampliar al 200 %

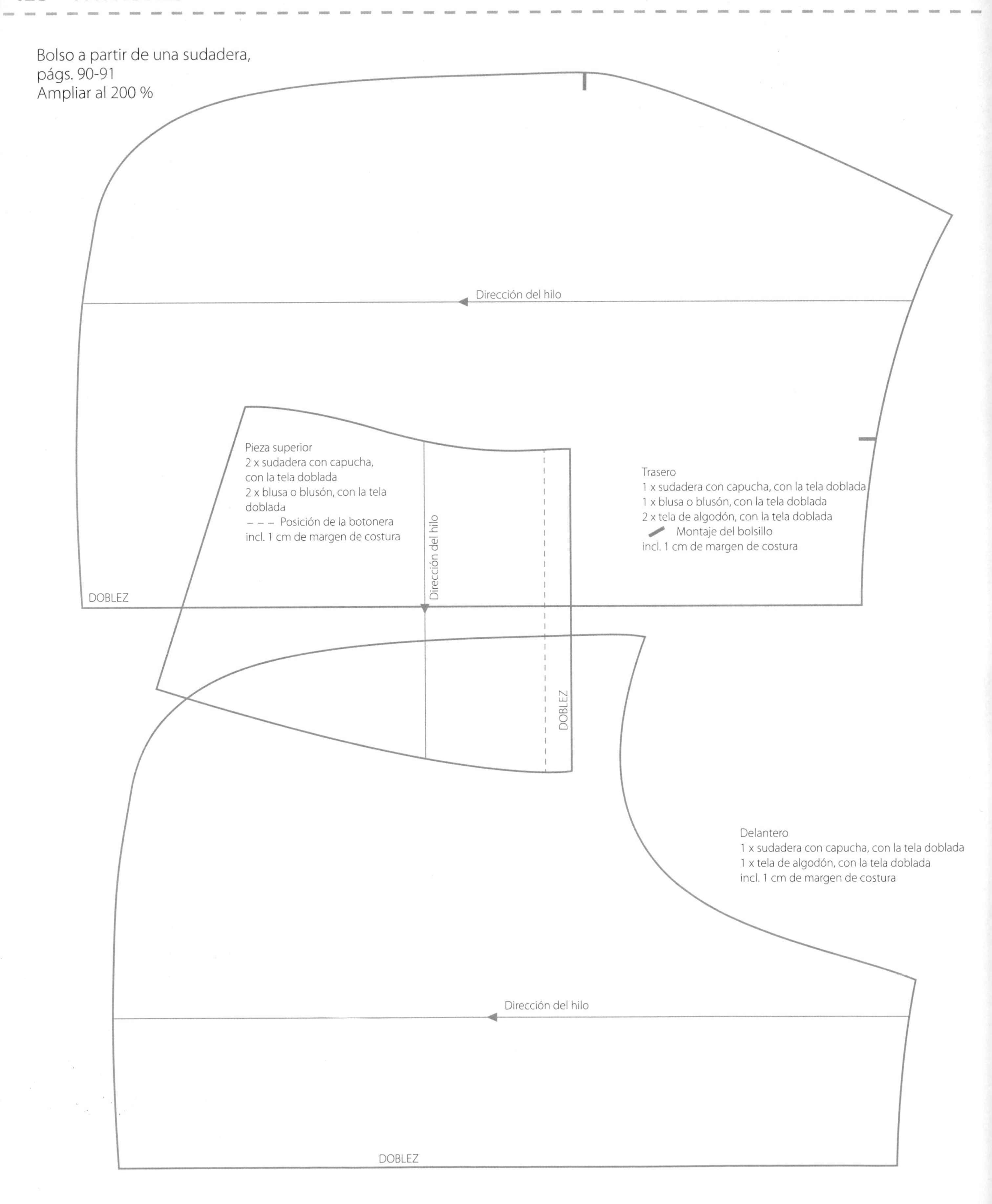

Dirección del hilo
Pieza superior
2 x sudadera con capucha, con la tela doblada
2 x blusa o blusón, con la tela doblada
– – – Posición de la botonera
incl. 1 cm de margen de costura
Dirección del hilo
DOBLEZ
Trasero
1 x sudadera con capucha, con la tela doblada
1 x blusa o blusón, con la tela doblada
2 x tela de algodón, con la tela doblada
Montaje del bolsillo
incl. 1 cm de margen de costura
DOBLEZ
Delantero
1 x sudadera con capucha, con la tela doblada
1 x tela de algodón, con la tela doblada
incl. 1 cm de margen de costura
Dirección del hilo
DOBLEZ